# 핵심 문법 50 포인트 요약노트

저자 | (주)이앤미래(대표 이동기)

# 이 책의 차례 CONTENTS


## Chapter 01 | 문장 구조, 동사 유형

**POINT 01** 문장의 구성 ........................................................ 010
· 출제 유형 001 동사 vs. 준동사

**POINT 02** 의문문의 어순 ..................................................... 011
· 출제 유형 002 간접의문문의 어순
· 출제 유형 003 두 개의 동사로 구성된 문장의 부가의문문

**POINT 03** 완전자동사 ........................................................ 013
· 출제 유형 004 자동사 + 전치사

**POINT 04** 불완전자동사의 보어 ........................................... 014
· 출제 유형 005 주요 불완전자동사의 보어
· 출제 유형 006 감각동사의 보어

**POINT 05** 완전타동사 ........................................................ 016
· 출제 유형 007 완전타동사 + 전치사(X)
· 출제 유형 008 4형식 불가 완전타동사

**POINT 06** 완전타동사와 동작의 목적어 ................................. 018
· 출제 유형 009 to부정사/동명사 목적어
· 출제 유형 010 기억동사/regret/stop

**POINT 07** 완전타동사와 함께 사용되는 주요 전치사 ................ 020
· 출제 유형 011 전치사구와 함께 자주 쓰이는 동사

**POINT 08** 수여동사 ........................................................... 022
· 출제 유형 012 '~에게'라는 의미의 전치사 of와 쓰이는 동사
· 출제 유형 013 take, cost

**POINT 09** 불완전타동사의 목적격보어 ................................. 024
· 출제 유형 014 불완전타동사의 주요 목적격보어

**POINT 10** 불완전타동사와 동작의 목적격보어 ....................... 025
· 출제 유형 015 to부정사를 목적격보어로 취하는 불완전타동사
· 출제 유형 016 사역/지각동사
· 출제 유형 017 분사를 목적격보어로 취하는 불완전타동사

**POINT 11** 혼동하기 쉬운 동사의 불규칙 변화 ........................ 029
· 출제 유형 018 자동사, 타동사를 구분해야 하는 동사

## Chapter 02 | 동사의 형태

**POINT 12**    완료시제 ............................................................................................ 032
· 출제 유형 019    현재완료 have/has p.p.
· 출제 유형 020    과거완료 had p.p.

**POINT 13**    시제 사용 제한 ............................................................................... 034
· 출제 유형 021    진행형 불가 동사

**POINT 14**    시제일치와 예외 ............................................................................ 035
· 출제 유형 022    시제의 일치
· 출제 유형 023    시제일치의 예외
· 출제 유형 024    시간·조건 부사절에서 시간의 표현

**POINT 15**    시제 관련 표현 ............................................................................... 038
· 출제 유형 025    ~하자마자 …했다
· 출제 유형 026    ~가 되어서야 (비로소) …하다

**POINT 16**    능동태 vs. 수동태 구분 ............................................................ 040
· 출제 유형 027    능동태/수동태

**POINT 17**    동사의 유형별 수동태 ................................................................. 041
· 출제 유형 028    자동사의 수동태
· 출제 유형 029    완전타동사의 수동태
· 출제 유형 030    완전타동사의 수동태(사역·지각동사)

**POINT 18**    조동사의 선택 ............................................................................... 044
· 출제 유형 031    주요 조동사
· 출제 유형 032    조동사 사용 주요 표현

**POINT 19**    당위의 조동사 should .................................................................. 046
· 출제 유형 033    (should)+동사원형

**POINT 20**    조동사+have p.p. ....................................................................... 047
· 출제 유형 034    조동사+have p.p.

# 이 책의 차례 CONTENTS


## Chapter 03 | 명사, 대명사, 일치

**POINT 21**　명사의 이해 ································· 50
· 출제 유형 035　명사의 표시
· 출제 유형 036　수식어-명사 수 일치
· 출제 유형 037　절대 불가산명사
· 출제 유형 038　집합명사

**POINT 22**　관사의 이해 ································· 54
· 출제 유형 039　관사의 용법

**POINT 23**　관사의 위치 ································· 55
· 출제 유형 040　관사의 위치

**POINT 24**　인칭대명사 ································· 56
· 출제 유형 041　재귀대명사
· 출제 유형 042　가주어/가목적어 it
· 출제 유형 043　명사-대명사 수 일치

**POINT 25**　부정대명사 ································· 59
· 출제 유형 044　one, another, other
· 출제 유형 045　every의 용법

**POINT 26**　부분부정 vs. 전체부정 ················· 61
· 출제 유형 046　부분부정

**POINT 27**　주어-동사 수 일치 ····················· 63
· 출제 유형 047　주어가 복잡한 경우의 주어-동사 수 일치
· 출제 유형 048　주어의 수를 혼동하기 쉬운 경우의 주어-동사 수 일치
· 출제 유형 049　도치 구문의 주어-동사 수 일치

## Chapter 04 | 준동사

**POINT 28**　동명사의 역할 ····························· 68
· 출제 유형 050　목적어의 역할을 하는 동명사

**POINT 29**　to부정사의 역할 ························· 69
· 출제 유형 051　to부정사 명사 역할
· 출제 유형 052　to부정사 형용사 역할
· 출제 유형 053　to부정사의 부사 역할

**POINT 30**　준동사의 형태 변화 ···································· 72
· 출제 유형 054　준동사의 능동과 수동
· 출제 유형 055　준동사의 의미상의 주어

**POINT 31**　준동사 주요 표현 ···································· 74
· 출제 유형 056　최빈출 준동사 사용 표현
· 출제 유형 057　핵심 동명사 사용 표현

**POINT 32**　현재분사 vs. 과거분사 ···································· 76
· 출제 유형 058　현재분사 vs. 과거분사 구분
· 출제 유형 059　주의할 동사의 분사 선택

**POINT 33**　분사구문 ···································· 79
· 출제 유형 060　분사구문의 형태
· 출제 유형 061　with 분사구문

## Chapter 05 | 형용사, 부사, 비교

**POINT 34**　형용사 vs. 부사 ···································· 84
· 출제 유형 062　형용사 vs. 부사 구분
· 출제 유형 063　형용사/부사+enough(부사)

**POINT 35**　주의할 형용사와 부사 ···································· 86
· 출제 유형 064　수량형용사/난이형용사
· 출제 유형 065　유사 형태 형용사와 부사
· 출제 유형 066　부정부사 중복 금지

**POINT 36**　비교 구문 ···································· 90
· 출제 유형 067　원급과 비교급 비교
· 출제 유형 068　최상급
· 출제 유형 069　비교급/최상급 수식

**POINT 37**　비교 사용 표현 ···································· 93
· 출제 유형 070　비교 사용 표현
· 출제 유형 071　라틴 비교
· 출제 유형 072　배수 비교
· 출제 유형 073　The 비교급, the 비교급
· 출제 유형 074　최상급 대용 표현

# 이 책의 차례 CONTENTS


**POINT 38**    비교대상의 일치 ......... 97
· 출제 유형 075    비교대상의 일치

## Chapter 06 | 접속사

**POINT 39**    등위접속사의 병렬 구조 ......... 100
· 출제 유형 076    등위(상관)접속사의 병렬 구조
· 출제 유형 077    등위상관접속사의 호응

**POINT 40**    명사절 접속사의 선택 ......... 102
· 출제 유형 078    명사절 접속사 that vs. what 구분
· 출제 유형 079    "A와 B의 관계는 C와 D의 관계와 같다"

**POINT 41**    부사절 접속사의 선택 ......... 105
· 출제 유형 080    목적/결과의 부사절 접속사 that
· 출제 유형 081    부정의 의미를 가진 접속사의 중복부정 금지
· 출제 유형 082    부사절 vs. 부사구

**POINT 42**    주요 양보구문 ......... 108
· 출제 유형 083    복합관계사 양보구문
· 출제 유형 084    접속사 as/though 양보구문

**POINT 43**    관계대명사의 선택 ......... 110
· 출제 유형 085    who/whose/whom, which/of which[whose] 선택
· 출제 유형 086    관계대명사 that
· 출제 유형 087    관계대명사 vs. what
· 출제 유형 088    전치사 + 관계대명사

**POINT 44**    관계부사 ......... 114
· 출제 유형 089    관계대명사 vs. 관계부사

**POINT 45**    복합관계사 ......... 115
· 출제 유형 090    whoever vs. whomever

**Chapter 07 | 특수구문**

**POINT 46**    기본 가정법 ···················································································· 118
· 출제 유형 091    가정법 동사 시제 주의

**POINT 47**    기타 가정법 ···················································································· 120
· 출제 유형 092    I wish 가정법
· 출제 유형 093    '~이 없다면' 가정법

**POINT 48**    전치사의 목적어 ············································································· 122
· 출제 유형 094    전치사 to+동명사
· 출제 유형 095    주요 전치사의 용법

**POINT 49**    강조 ······························································································ 124
· 출제 유형 096    It ~ that … 강조구문
· 출제 유형 097    부정어 강조

**POINT 50**    도치 ······························································································ 126
· 출제 유형 098    1형식, 2형식 문장의 도치(수 일치 주의)
· 출제 유형 099    부사구 강조에 의한 도치(도치 형태 주의)
· 출제 유형 100    도치와 동사 종류 일치 주의

# Chapter 01
# 문장 구조, 동사 유형


| | |
|---|---|
| POINT 01 | 문장의 구성 |
| POINT 02 | 의문문의 어순 |
| POINT 03 | 완전자동사 |
| POINT 04 | 불완전자동사의 보어 |
| POINT 05 | 완전타동사 |
| POINT 06 | 완전타동사와 동작의 목적어 |
| POINT 07 | 완전타동사와 함께 사용되는 주요 전치사 |
| POINT 08 | 수여동사 |
| POINT 09 | 불완전타동사의 목적격보어 |
| POINT 10 | 불완전타동사와 동작의 목적격보어 |
| POINT 11 | 혼동하기 쉬운 동사의 불규칙 변화 |

2026 이동기 영어
핵심문법 50포인트 요약 노트

# 문장의 구성

**출제 유형 001** | 동사 vs. 준동사

**전략** 동사나 준동사에 밑줄이 있다면 먼저 동사의 자리가 맞는지 확인해야 합니다.
한 개의 절에는 반드시 한 개의 동사가 있어야 합니다.
절에 이미 동사가 있다면 동그라미 치고 동사처럼 보이는 요소는 동사가 아닌 준동사의 형태로 바꿔야 합니다.

동사나 준동사에 밑줄이 있다면 동사 자리인지 준동사 자리인지 먼저 확인하라.

- In Sandbanks in Dorset, renowned for being the UK's most expensive resort, prices
  부사구                                                          형용사구                              주어

  being down 5.6%. (X)
  → are down/have been down

  영국에서 가장 값비싼 휴양지로 유명한 Dorset 주의 Sandbanks에서는 가격들이 5.6퍼센트 하락했다.

- Develop photographs is one of my favorite hobbies. (X)
  → Developing/To develop    동사

  사진을 현상하는 것은 내가 좋아하는 취미 중 하나이다.

# 의문문의 어순

## 출제 유형 002 | 간접의문문의 어순

**전략** 간접의문문의 올바른 어순을 묻는 문제가 출제됩니다.
간접의문문이 있다면 의문사에 동그라미, 주어와 동사에 밑줄 그어 어순이 올바른지 확인해야 합니다.

의문사 + 주어 + 동사

의문사(주어) + 동사( + 목적어/보어) *의문사가 주어인 경우

• I don't know how old you are.  나는 당신이 몇 살인지를 모른다.
  의문사  주어 동사

• I don't know what happened this morning.  오늘 아침에 무슨 일이 일어났는지 모른다.
  의문사(주어)  동사

> **전략** 부가의문문이 보이면 주절의 주어와 동사에 동그라미한 뒤,
> 부가의문문의 주어와 동사의 종류가 그와 일치하는지 확인해야 합니다.

## 01 부가의문문의 형태

| 평서문 | 부가의문문 | 예문 |
|---|---|---|
| 긍정 | 부정 | She is cute, isn't she? |
| 부정 | 긍정 | She isn't cute, is she? |
| be동사 | be동사 | He is a boss, isn't he? |
| 조동사 | 조동사 | He can speak Korean, can't he? |
| 일반동사 | do동사 활용 (do/does/did) | · He plays the piano, doesn't he?<br>· He played the piano, didn't he? |

## 02 두 개의 동사로 구성된 문장의 부가의문문

앞 문장이 두 개의 동사로 구성된 경우에는 둘 중 중요한 의미를 지닌 동사를 활용하여 부가의문문을 만든다.

- You think she is cute, don't you?  너는 그녀가 귀엽다고 생각하지, 그렇지 않아?
- He didn't believe she was guilty, did he?  그는 그녀가 유죄라고 믿지 않았어, 그렇지?

# 완전자동사

## 출제 유형 004 | 자동사 + 전치사

**전략** 주요 완전자동사가 보이면 동그라미 하고, 목적어 앞 전치사에 밑줄을 그어 확인해야 합니다

### 01 완전자동사 + 전치사

- He is waiting for his son.  그는 아들을 기다리고 있는 중이다.
- The ruling party objected to the suggestion.  여당은 그 제안에 반대했다.

| | | |
|---|---|---|
| object to ~에 반대하다 | belong to ~에 속하다 | wait for ~을 기다리다 |
| participate in ~에 참여하다 | graduate from ~을 졸업하다 | result from ~이 원인이다 |
| result in ~을 야기하다 | consist of ~으로 구성되다 | consist with ~와 일치하다 |
| consist in ~에 있다 | arrive at ~에 도착하다 | listen to ~을 듣다 |
| deal with ~을 처리하다 | laugh at ~을 비웃다 | look at ~을 보다 |
| depend on ~에 의존하다 | leave for ~로 출발하다 | attend to ~에 주의를 기울이다 |

### 02 주요 완전자동사

| | | |
|---|---|---|
| lie 눕다 | stand 서다 | laugh 웃다 |
| go 가다 | arrive 도착하다 | come 오다 |
| occur happen arise 발생하다 | appear emerge 나타나다 | |

# 불완전자동사의 보어

## 출제 유형 005 | 주요 불완전자동사의 보어

**전략** 주요 불완전자동사가 보이면 동그라미하고, 보어에 밑줄을 그어 보어 형태가 올바른지 확인해야 합니다.
특히, 부사를 함정으로 자주 출제하니 형용사/부사를 꼭 확인하세요.

| 동사 종류 | 주요 동사 | 보어 |
|---|---|---|
| 상태유지동사 | be ~이다<br>stay, remain, keep, hold ~하게 있다<br>stand, sit, lie ~한 채 있다 | 명사,<br>형용사, 분사<br>to부정사,<br>전치사구 |
| 상태변화동사 | become, get, grow, turn ~하게 되다<br>go, come, fall ~하게 변하다 | |
| 판단·판명동사 | prove, turn out ~로 판명되다<br>seem, appear ~인 것 같다 | 부사 (X) |

- She stayed peaceful. 그녀는 여전히 평화로웠다.
  She stayed peacefully. (X)

- The bank will remain open until 5 p.m. 그 은행은 오후 5시까지 열려 있을 것이다.
- He turned out (to be) an enemy. 그는 적으로 판명되었다.
- The milk went (bad/badly). 우유가 상했다.

**전략** 감각동사가 보이면 동그라미, 뒤의 보어에 밑줄 그어 형용사가 맞는지 확인해야 합니다.

| 감각동사 | 보어 |
|---|---|
| smell ~한 냄새가 나다<br>feel ~한 느낌이 나다<br>taste ~한 맛이 나다<br>sound ~한 소리가 나다<br>look ~한 모습이다 | + $\begin{bmatrix} 형용사 \\ like+명사 \\ as\ if+S+V \end{bmatrix}$ (O) <br><br> 부사 (X) |

- I felt uneasy.  난 불편했어.

- Your doll looks lovely.  너의 인형은 사랑스러워 보인다.
  ➡ lovely는 부사처럼 보이지만 실제로는 형용사이므로 불완전자동사의 보어로 사용된다.

- She looks like a model.  그녀는 모델처럼 보인다.

## 출제 유형 007 | 완전타동사 + 전치사(X)

**전략** 주요 완전타동사가 보이면 동그라미하고, 뒤에 목적어 앞에 전치사가 있으면 밑줄 그어 X를 표시합니다.

### 01 주요 완전타동사

| 주요 완전타동사 | 주의할 전치사 |
|---|---|
| discuss, mention, announce, consider | about (X) |
| approach, reach, oppose, answer, survive, address, attend, obey, affect, influence, contact, greet, exceed, regret | to (X) |
| marry, resemble, accompany, face | with / to (X) |
| enter, join, inhabit | in (X) |
| approve, await | for (X) |

• He approached to the girl. (X)

⇨ He approached the girl.  그는 그 소녀에게 접근했다.

• I will marry with her. (X)

⇨ I will marry her.  나는 그녀와 결혼할 거야.

**CHECK**

의미가 같아서 혼동하기 쉬운 자동사와 타동사가 시험에 자주 출제되니 주의하도록 하자.

| 타동사 | 자동사 + 전치사 | 의미 | 타동사 | 자동사 + 전치사 | 의미 |
|---|---|---|---|---|---|
| await | wait for | ~를 기다리다 | join | participate in | ~에 참여하다 |
| oppose | object to | ~에 반대하다 | reach | arrive at | ~에 도착하다 |
| inhabit | live in | ~에 살다 | accompany | go with | ~와 함께 가다 |

**전략** 간접목적어를 사용하여 4형식으로 사용할 수 없는 동사가 보이면 동그라미 하고,
'~에게(사람)'에 해당하는 간접목적어에 밑줄 그어 X를 표시합니다.

---

· 4형식 불가 완전타동사

$$\left[ \begin{array}{l} \text{explain, say, introduce, suggest} \\ \text{propose, announce, mention, describe} \end{array} \right] + 간접목적어\ (X) + 직접목적어$$

to + 목적어(생략 가능)

---

- She will explain us how she could pass the test. (X)
  ⇨ She will explain (to us) how she could pass the test.
    그녀는 어떻게 그 시험에 합격할 수 있었는지 (우리에게) 설명할 것이다.

- He said her that he loved her. (X)
  ⇨ He said (to her) that he loved her.  그는 그녀를 사랑한다고 (그녀에게) 말했다.

- The boss suggested me that I should take a holiday. (X)
  ⇨ The boss suggested (to me) that I should take a holiday.
    사장은 내가 휴가를 가져야 한다고 (나에게) 제안했다.

# 완전타동사와 동작의 목적어

## 출제 유형 009 | to부정사/동명사 목적어

**전략** 동사의 뒤에 목적어로 동명사나 to부정사가 보이면, 동사에 동그라미, 동명사/to부정사에 밑줄을 치고
각 동사가 취할 수 있는 올바른 형태인지 확인해야 합니다.

### 01 to부정사(to+동사원형) 목적어

| | |
|---|---|
| 희망동사 | want 원하다  hope 희망하다  wish 바라다  expect 기대하다  desire 원하다  long 바라다 |
| 계획동사 | plan 계획하다  intend 의도하다  mean 의도하다  prepare 준비하다 |
| 시도·노력동사 | try 노력하다  attempt 시도하다  seek 추구하다 |
| 기타 빈출 동사 | refuse 거절하다  fail 실패하다  manage 가까스로 ~하다  agree 동의하다<br>pretend ~인 척하다  decide 결정하다  determine 결심하다  deserve ~을 받을 만하다<br>need ~할 필요가 있다  dare 감히 ~하다 |

• He managed to submit the paper in time.  그는 가까스로 논문을 제시간에 제출했다.

### 02 동명사(-ing) 목적어

| | |
|---|---|
| 긍정 의미 | enjoy 즐기다  consider 고려하다  practice 연습하다, 실천하다  admit 인정하다<br>keep ~을 유지하다  appreciate 감사하다  suggest 제안하다  recommend 추천하다 |
| 부정 의미 | deny 부정하다  mind 꺼리다  quit 그만두다  finish 끝마치다  abandon 포기하다<br>avoid, escape 피하다  postpone, delay 연기하다, 미루다  resist 반대하다<br>risk 위험을 무릅쓰고 ~하다 |

• I enjoyed shopping with my boyfriend.  나는 남자 친구와 쇼핑하는 것을 즐겼다.

**전략** 기억동사/후회동사가 보이면 동그라미하고,
목적어에 사용된 동작의 의미가 과거(동명사)인지 미래(to부정사)인지 파악해야 합니다.

## 01 기억동사

|  |  |  |
| --- | --- | --- |
| forget<br>remember | 동명사(-ing) | ~한 것을 잊다/기억하다 ➡ 과거의 의미 |
|  | to부정사(to+동사원형) | ~할 것을 잊다/기억하다 ➡ 미래의 의미 |

- I will never **forget** seeing the sea for the first time.
  나는 처음으로 그 바다를 본 것을 결코 잊지 못할 것이다.
- Don't **forget** to see a doctor tomorrow morning.
  내일 아침에 의사한테 가는 거 잊지 마.

## 02 regret

|  |  |  |
| --- | --- | --- |
| regret | 동명사(-ing) | ~한 것을 후회하다 |
|  | to부정사(to+동사원형) | ~하게 되어 유감이다 |

- He **regrets** having spent all the money he had.
  그는 가지고 있던 모든 돈을 써 버린 것을 후회한다.
- We **regret** to say that we are unable to accept your offer.
  저희는 당신의 제안을 받아들일 수 없음을 알려드리게 되어 유감입니다.

## 03 stop 동사

|  |  |  |
| --- | --- | --- |
| stop | 동명사(-ing) | ~하기를 멈추다 |
|  | to부정사(to+동사원형) | ~을 하기 위해 멈추다 |

- He **stopped** smoking.  그는 흡연을 중지했다(그는 담배를 끊었다).
- He **stopped** to smoke.  그는 흡연을 하기 위해 멈춰 섰다.

# 완전타동사와 함께 사용되는 주요 전치사

## 출제 유형 011 | 전치사구와 함께 자주 쓰이는 동사

**전략** 짝꿍 전치사가 있는 완전타동사가 보이면 동그라미 후,
짝꿍 전치사에 밑줄하여 올바른지 확인합니다.

### ★ 01 '막다' 동사 + from

$$\begin{bmatrix} \text{prevent, prohibit, deter, discourage, keep, stop} \\ \text{inhibit, restrain, hinder, hamper} \\ \text{impede, obstruct, block} \end{bmatrix} + A + \text{from -ing}$$

- The rain prevented me from going to the party.
  그 비는 내가 파티에 가는 것을 막았다(비로 인해 나는 파티에 갈 수 없었다).

### ★ 02 '알리다' 동사 + of

$$\begin{bmatrix} \text{inform 알리다} & \text{warn 경고하다} \\ \text{remind 상기시키다} & \text{convince 확신시키다} \\ \text{assure 장담하다} & \text{accuse 비난하다} \end{bmatrix} + A + \begin{bmatrix} \text{of + B} \\ \text{that + S + V} \end{bmatrix}$$

- He informed the news. (X)
  ⇨ He informed me of the news. (O)  그는 내게 그 소식을 알려 주었다.
- He informed that she left the town. (X)
  ⇨ He informed me that she left the town. (O)
  그는 내게 그녀가 그 마을을 떠났다고 알려 주었다.
- Will you accuse a lady to her face of smelling bad? 2022 서울시 1차 9급
  당신은 한 여인을 나쁜 냄새가 난다고 그녀의 면전에서 비난할 것인가?

## 03 '제거하다' 동사

rob 강탈하다  deprive 빼앗다  rid 제거하다
free 없애다  relieve 없애 주다  strip 벗기다
　A of B

- The government deprived him of the right to vote.
  정부는 그에게서 투표권을 박탈했다.


## 04 '칭찬하다, 비난하다' 동사

praise 칭찬하다  thank 감사하다  blame 비난하다
criticize 비판하다  scold 꾸짖다  excuse 용서하다
　A for B

- He thanked her for helping his mother.
  그는 그녀에게 자신의 어머니를 도와준 것에 대해 감사했다.


## 05 '공급하다, 교체하다' 동사

provide 제공하다  present 제공하다  supply 공급하다  furnish 공급하다
equip 장비를 갖추다  substitute 교체하다  replace 교체하다
　A with B

- The company provided refugees with commodities.
  그 회사는 피난민들에게 생활필수품을 제공했다.

## 출제 유형 012 | '~에게'라는 의미의 전치사 of와 쓰이는 동사

**전략** 요청/요구 동사에 동그라미, of에 밑줄 그어 '~에게'라는 의미인지 확인해보세요.

수여동사는 간접목적어와 직접목적어를 취하는 4형식으로 사용되지만 '~에게'에 해당하는 간접목적어에 전치사를 붙여 직접목적어 뒤에 위치시키는 3형식으로도 자주 사용된다.

주어 + 동사 + 간접목적어 + 직접목적어 (4형식)

⇨ 주어 + 동사 + 직접목적어 + 전치사 + 간접목적어 (3형식)
부사구

| 전치사 of를 사용하는 동사 | ask, inquire, require, request, demand, beg |
| --- | --- |

* inquire, require, request, demand, beg는 3형식 동사임

- He asked a question of me.  그는 나에게 질문을 하나 했다.
- Can I ask a favor of you?  당신에게 부탁 하나만 해도 될까요?

> **전략**  '~의 시간이 걸리다'를 의미하는 take 동사가 보이면
> 먼저 it 세모, to 세모로 가주어/진주어 구문을 확인합니다.
> 이어 take에 동그라미 후, 목적어에 밑줄 그어 4형식 또는 3형식이 올바르게 쓰였는지 확인합니다.

**'~가 …하는 데 시간/노력/돈이 걸리다/들다'는 아래의 표현으로 정리할 수 있다.**

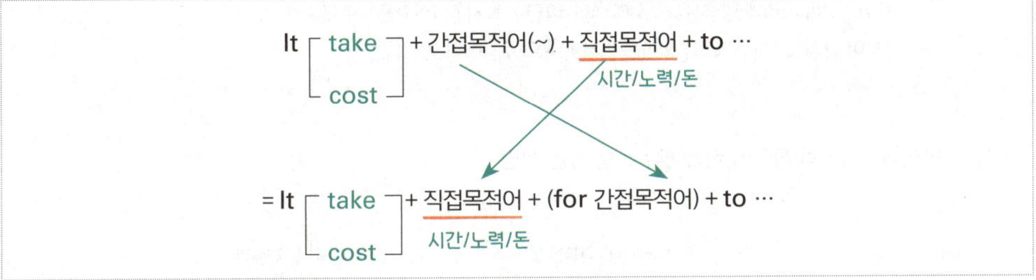

- It took me four months to master basic English grammar.

  = It took four months (for me) to master basic English grammar.

  내가 기본적인 영문법을 통달하는 데 4개월이 걸렸다.

- It cost him 50,000 won to buy the T-shirt.  그가 티셔츠를 사는 데 5만 원이 들었다.

  = It cost 50,000 won (for him) to buy the T-shirt.

**출제 유형 014  |  불완전타동사의 주요 목적격보어**

**전략**  주요 불완전타동사가 보이면 동그라미 표시하고, 목적격보어에 밑줄 그어 그 형태를 확인합니다.
특히 목적격보어 자리에 형용사가 아니라 부사라면 X 표시 하고, 형용사로 고쳐야 합니다.
목적격보어 자리에 전치사 as와 쓰이는 동사들에도 주의해야 합니다.

**01 명사 목적격보어 – 목적어의 직업이나 신분 등을 설명**

| | | |
|---|---|---|
| call 부르다 | name 이름을 붙이다 | elect 선출하다 |
| choose 선택하다 | declare 선언하다 | |

- He named it a flower.  그는 그것을 꽃이라고 이름 붙였다.
- People elected him President.  사람들은 그를 대통령으로 선출했다.

**02 형용사 목적격보어 – 목적어의 성질이나 상태를 설명**

- The boy made his mother happy.  그 소년은 엄마를 행복하게 했다.
- He found the test easy.  그는 시험이 쉽다는 것을 알았다.

**03 전치사구 목적격보어**

| | | |
|---|---|---|
| regard 간주하다 | think of 생각하다 | |
| look upon 여기다 | consider 생각하다 | + 목적어 + as + 목적격보어 |
| refer to 부르다 | | |
| take 받아들이다 / 여기다 | | + 목적어 + for + 목적격보어 |

- We regard the problem as serious.  우리는 그 문제를 심각하게 생각한다.
- We took her passing the test for granted.  우리는 그녀가 시험에 합격한 것을 당연한 것으로 여겼다.

# 불완전타동사와 동작의 목적격보어

**출제 유형 015** │ to부정사를 목적격보어로 취하는 불완전타동사

**전략** 주요 불완전타동사에 동그라미, 목적어와 목적격보어에 밑줄 긋고,
이 둘의 관계(능동/수동)에 따라 목적격보어의 형태가 올바른지 확인해야 합니다.
사역·지각동사를 제외한 대부분의 동사는 목적격보어로 to부정사를 취한다는 것도
암기의 부담을 줄이는 데 도움이 될 거예요.

## 01 to부정사를 목적격보어로 취하는 불완전타동사

| | 불완전타동사 | 목적어와 목적격보어의 관계 | 목적격보어의 형태 |
|---|---|---|---|
| 사역동사 일부 | get, forbid | | |
| 희망동사 | want, expect, wish | 능동 | to부정사 |
| 요구·제안·명령 동사 | ask, require, recommend, advise, order, force, urge, impel, compel | | |
| 유도동사 | cause, allow, permit, enable, encourage, persuade, motivate, stimulate, lead, teach, tell | 수동 | 과거분사 |

능동 관계
• I got him to repair my watch.  나는 그로 하여금 내 시계를 고치게 했다.
  목적어    목적격보어

수동 관계
• I got my watch repaired.  나는 내 시계를 고치게 했다.
  목적어    목적격보어

능동 관계
• The accident caused them to be late for their work.
  목적어  목적격보어

그 사고는 그들로 하여금 회사에 지각하도록 만들었다.

주로 미래의 의미를 갖는 동사는 목적어와 목적격보어의 관계가 수동일 때
목적격보어로 과거분사/「to be + 과거분사」를 모두 취할 수 있다.

| 주로 미래의 의미를 갖는 불완전타동사 | | | | 목적어와<br>목적격보어의 관계 | 목적격보어의<br>형태 |
|---|---|---|---|---|---|
| ask | require | advise | order | | |
| force | urge | want | wish | 수동 | ① 과거분사 |
| expect | allow | permit | enable | | ② to be 과거분사 |
| cause | | | ※ get 제외 | | |

수동 관계

• I **want** this work **(to be) finished**.  나는 이 일을 끝내기를 원한다.
　　목적어　　　목적격보어

• The leader **ordered** his chair **to be prepared** before the meal.
　그 지도자는 자신의 의자가 식사 전에 준비되도록 명령했다.

　= The leader **ordered** his chair **prepared** before the meal.

**전략** 사역·지각동사에 동그라미, 목적격보어에 밑줄 긋고,
목적어와 목적격보어의 관계(능동/수동)에 따라 목적격보어의 형태가 올바른지 확인해야 합니다.

## 01 목적어와 목적격보어와의 관계가 능동일 경우 목적격보어의 형태

| 사역동사<br>let, make, have | + 목적어 | + 동사원형(원형부정사) |
|---|---|---|
| 지각동사<br>see, watch, observe,<br>notice, feel, hear, listen to | + 목적어 | + ┌ 동사원형(원형부정사)<br>└ -ing(현재분사) |

능동 관계
- I had him repair my watch.  나는 그로 하여금 내 시계를 고치게 했다.
  목적어     목적격보어

능동 관계
- Mary saw her daughter sing/singing.  Mary는 그녀의 딸이 노래 부르는 것을 보았다.
  목적어     목적격보어

## 02 목적어와 목적격보어와의 관계가 수동일 경우 목적격보어의 형태

| 사역동사 / 지각동사 | + 목적어 | + 과거분사 |
|---|---|---|

수동 관계
- I had my watch repaired.  나는 내 시계를 고치게 했다.
  목적어     목적격보어

수동 관계
- I saw the door closed.  나는 문이 닫힌 것을 봤다.
  목적어     목적격보어

**CHECK**

* let의 경우 목적어와 목적격보어와의 관계가 수동일 경우 「be p.p.」가 목적격보어로 온다.

수동 관계
- I let my watch be repaired.

**전략** 주요 불완전타동사 중 유지동사(keep, leave)가 보이면 동그라미, 목적어와 목적격보어에 밑줄 긋고, 이 둘의 관계(능동/수동)에 따라 목적격보어의 형태가 올바른지 확인해야 합니다.

| 유지동사 | leave, keep | 능동 관계 |
| --- | --- | --- |
| 상상동사 | imagine | + 목적어 + 목적격보어(현재분사) / 목적어 + 목적격보어(과거분사) |
| 발견동사 | catch, find, discover | 수동 관계 |

능동 관계

- She kept him waiting outside.  그녀는 그를 밖에서 계속 기다리게 했다.
  목적어 목적격보어

수동 관계

- We have to keep the main door closed.  우리는 현관문을 닫아두어야만 한다.
  목적어        목적격보어

능동 관계

- She imagined herself diving into the sea.
  목적어    목적격보어

그녀는 자신이 바다로 다이빙하는 것을 상상했다.

# 혼동하기 쉬운 동사의 불규칙 변화

**출제 유형 018** | 자동사, 타동사를 구분해야 하는 동사

**전략** lie/lay, rise/raise가 보이면 밑줄 긋고,
목적어의 유무에 따라 자동사/타동사가 올바른지, 시제에 따라 동사의 형태가 올바른지 확인해야 합니다.

## 01 자동사, 타동사를 구분해야 하는 동사

| 원형 | 의미 | 과거형 | 과거분사형 | 현재분사형 |
| --- | --- | --- | --- | --- |
| lie | 눕다(자동사) | lay | lain | lying |
| lay | 눕히다, 놓다, (알을) 낳다(타동사) | laid | laid | laying |
| rise | 일어나다(자동사) | rose | risen | rising |
| raise | 올리다, 들다(타동사) | raised | raised | raising |
| arise | 발생하다(자동사) | arose | arisen | arising |
| arouse | 발생시키다(타동사) | aroused | aroused | arousing |

- He lay down on the sofa and took a nap.  그는 소파 위에 누워서 낮잠을 잤다.
- He laid his book on the table and left the room.  그는 테이블 위에 책을 올려놓고 방을 나갔다.
  목적어
- He rises at seven every morning.  그는 매일 아침 일곱 시에 일어난다.
- He raised his hand.  그는 손을 들었다.
  목적어

## 02 의미를 구분해야 하는 동사

| 원형 | 의미 | 과거형 | 과거분사형 | 현재분사형 |
| --- | --- | --- | --- | --- |
| find | 발견하다 | found | found | finding |
| found | 설립하다 | founded | founded | founding |

- The university was founded in 1945.  그 대학은 1945년에 설립되었다.
  ➡ '설립하다'를 의미하는 동사 found의 과거분사형이다.

# Chapter 02
# 동사의 형태


**POINT 12**  완료시제

**POINT 13**  시제 사용 제한

**POINT 14**  시제일치와 예외

**POINT 15**  시제 관련 표현

**POINT 16**  능동태 vs. 수동태 구분

**POINT 17**  동사의 유형별 수동태

**POINT 18**  조동사의 선택

**POINT 19**  당위의 조동사 should

**POINT 20**  조동사+have p.p.

2026 이동기 영어
핵심문법 50포인트 요약 노트

## 출제 유형 019 | 현재완료 have/has p.p.

**전략** 「for+기간」, 「since+과거 시점」이 보이면 동그라미 후
동사에 밑줄 그어 현재완료 시제인지 확인해야 합니다.

| 용법 | 의미 | 예문 |
|---|---|---|
| 완료 | ~해 버렸다 | · I have just finished the work.<br>나는 방금 일을 끝냈다. |
| 계속 | 계속해서 ~하고 있다 | · I have lived here for five years.<br>나는 5년 동안 여기 살고 있다.<br>· He has worked for this company since 1988.<br>그는 1988년 이래로 이 회사에서 일해 왔다. |
| 경험 | ~한 적이 있다 | · I have read the book before.<br>나는 전에 그 책을 읽어 본 적이 있다.<br>· She has been to New York.<br>그녀는 뉴욕에 가 본 적이 있다. |
| 결과 | ~해 버렸다 (그 결과 …) | · I have lost my wallet.<br>나는 내 지갑을 잃어버렸어. (그 결과 지금 지갑이 없다.)<br>· She has gone to the U.S.<br>그녀는 미국으로 가 버렸다. (그 결과 그녀는 지금 여기에 없다.) |

**CHECK**

1. 완료 시제와 주로 사용되는 부사

since + 과거(시점), for + 기간, over + 기간, during + 기간
so far, up to now, until now, lately, recently, of late, in recent years

2. 완료형과 함께 쓰일 수 없는 표현

① ago, yesterday, last year, then, in + 특정 과거 시간
② When ~? (의문문), What time ~? (의문문)

**출제 유형 020**  |  과거완료 had p.p.

**전략**  「had+p.p.」가 보이면 밑줄 긋고,
'과거'로 표시된 기준 시제에 동그라미, 그 이전 사건임을 알려주는 단서에 동그라미 표시하여
과거완료가 올바르게 쓰였는지 확인합니다.

대과거는 과거라는 기준 시점에서 볼 때 그보다 이전에 발생한 일이므로 각 문장에서 기준 시점이 과거일 때,
그보다 먼저 발생한 일이면 과거완료의 형태를 쓸 수 있다.

- She had left before I arrived at the classroom.  내가 교실에 도착하기 전에 그녀는 떠났다.
  과거완료          과거(기준 시점)

  ➡ 과거 기준 시점을 통해 과거보다 이전 발생임을 알 수 있는 경우 과거완료를 사용할 수 있다.

- I couldn't find the wallet I had lost.  나는 잃어버린 지갑을 찾을 수 없었다.
  과거(기준 시점)              과거완료

  ➡ 지갑을 찾는 일보다 지갑을 잃어버린 일이 선행하므로 지갑을 잃어버린 것은 대과거의 일임을 알 수 있다.

### 출제 유형 021 | 진행형 불가 동사

**전략** 「be –ing」 형태가 보이면 밑줄 긋고,
동사가 진행형 불가 동사에 속하는 것이 아닌지 확인해야 합니다.

동작이 아닌 상태를 표현하는 감정, 인식, 소유, 감각, 상태 동사는 진행형으로 쓸 수 없다.

| | |
|---|---|
| 감정동사 | like, want, hate, mind, fear, prefer, adore |
| 인식동사 | know, understand, realize, believe, imagine, suppose, guess, remember, forget |
| 소유동사 | have, possess, contain, belong to, own, include |
| 감각, 상태동사 | taste, smell, look, sound, resemble, remain, lack, keep, seem, live |

- I know the language.
나는 그 언어를 알고 있다.

I am knowing the language. (×)

# 시제일치와 예외

## 출제 유형 022 | 시제의 일치

**전략** 종속절의 동사에 will이 보이면 밑줄 후, 주절의 동사에 동그라미하고
과거 시제라면 will에 X를 표시합니다.

주절 뒤에 that절로 연결되는 종속절이 나올 경우, 주절의 시제가 무엇인지 확인한 후 종속절의 시제를 확인한다.

| 주어 + 동사 + **that** + 주어 + 동사 |
|:---:|
| 주절　　　　　　종속절 |

| 주절의 시제 | 종속절의 시제 |
|:---:|:---:|
| 현재, 현재완료, 미래 | 모든 시제 가능(과거완료 제외) |
| 과거 | 과거 / 과거완료 / would<br>~~현재, will~~ |

- I agree that fine dust is [was / will be] a serious problem.
  현재　　　　　　　현재 과거　미래

  나는 미세먼지가 심각한 문제라는[였다는/일 거라는] 것에 동의한다.

- She thought that he was [had been / would be] an utter fool. 2022 서울시1차 9급
  과거　　　　　　　과거　과거 완료　과거에서 본 미래

  그녀는 그가 완전한 바보라고[였다고/일 것이라고] 생각했다.

- She thought that he will be an utter fool. (X)
  과거　　　　　　　→ would be

**전략** 과학적 사실이나 역사적 사건에 해당하는 명사에 동그라미 후, 동사에 밑줄 그어 시제를 확인해야 합니다. 특히, the sun, the earth 등을 설명하는 과학적 사실과 세계 대전을 설명하는 역사적 사건이 자주 출제됩니다.

| 불변의 진리, 과학적 사실, 현재의 규칙적인 행동, 습관 | 현재 시제 |
|---|---|
| 역사적 사실 | 과거 시제 |

- The teacher said the earth goes round the sun.
  선생님은 지구가 태양 주위를 돈다고 말씀하셨다.

- She said she goes to bed late every night.
  그녀는 매일 밤 늦게 잠자리에 든다고 말했다.

- We learned that the Korean War broke out in 1950.
  우리는 한국 전쟁이 1950년에 발발했다고 배웠다.

- The teacher said Columbus discovered the New World.
  선생님은 Columbus가 신세계를 발견했다고 말씀하셨다.

**전략** 시간이나 조건의 부사절 접속사가 보이면 동그라미하고, 부사절 동사에 밑줄을 치세요.
will이 사용되었다면 틀린 문장입니다.

시간, 조건의 부사절에서는 미래를 표현할 때 will 대신 현재 시제를 사용해야 한다.

| 종속절(시간, 조건의 부사절) | 주절 |
|---|---|
| 종속접속사<br><br>When / After / Before / As soon as<br>The moment / By the time / Next time<br>If / Unless / In case / Provided<br><br>+ S′ + V′ + ~, will(×) → 현재 시제 | S + V + ~ |

- When she comes back home, I will give her some presents.
  그녀가 집에 돌아오면, 나는 그녀에게 몇 개의 선물을 줄 것이다.

- When you come next, be sure to take your camera. 1994 지방직 9급
  다음에 올 때, 네 카메라를 챙기는 것을 확실히 해라(확실히 챙겨라).

- If it will rain tomorrow, stay home. (X)
  → rains

  내일 비가 온다면 집에 있어라.


**CHECK**

**부사절 vs. 명사절 vs. 형용사절**

부사절이 아닌 명사절 또는 형용사절인 경우 will을 사용할 수 있다.

| | |
|---|---|
| 부사절 | He will leave // when she comes back home.<br>그녀가 집에 돌아올 때 그는 떠날 것이다. |
| 명사절 | I don't know [when she will come back home].<br>나는 그녀가 언제 집으로 돌아올지를 모른다. |
| 형용사절 | I don't know the time (when she will come back home).<br>나는 그녀가 집으로 돌아올 시간을 모른다. |

# 시제 관련 표현



**전략** No sooner 또는 Hardly/Scarcely에 동그라미 후, 먼저 접속사에 밑줄 긋고,
이어 주절 동사에 밑줄 그어, 접속사의 선택과 도치, 시제가 올바른지 확인해야 합니다.

## 01 ~하자마자 …하다

$$\left[\begin{array}{l} \text{As soon as} \\ \text{The moment} \end{array}\right] + S' + \underline{V'},\ S + \underline{V}$$
과거 시제　과거 시제

$$= S + \underline{\text{had}} + \left[\begin{array}{l} \text{no sooner} \\ \text{hardly} \\ \text{scarcely} \end{array}\right] + \underline{\text{p.p.}} \sim \left[\begin{array}{l} \text{than} \\ \text{when} \\ \text{before} \end{array}\right] + S' + \underline{V'}$$
과거 시제

$$= \left[\begin{array}{l} \text{No sooner} \\ \text{Hardly} \\ \text{Scarcely} \end{array}\right] + \underline{\text{had}} + S + \underline{\text{p.p.}} \sim \left[\begin{array}{l} \text{than} \\ \text{when} \\ \text{before} \end{array}\right] + S' + \underline{V'}$$
과거 시제

※ 출제 포인트 ① 접속사　② 도치　③ 시제 확인

- 우리가 나가자마자 비가 내리기 시작했다.

  As soon as we <u>went</u> out, it <u>began</u> to rain.

  =The moment we <u>went</u> out, it <u>began</u> to rain.

  =We had no sooner gone out than it began to rain.

  =We had hardly/scarcely gone out when/before it began to rain.

  =No sooner had we gone out than it began to rain.  (도치)

  =Hardly/Scarcely had we gone out when/before it began to rain.  (도치)

**전략** not과 until이 한 문장에 있으면 not에 동그라미, until에 밑줄 긋고,
이후 「It ~ that … 강조구문」의 형태나 「Not until ~」 강조에 의한 도치를 확인해야 합니다.

---

not A until B
= Not until B A (A는 「동사+주어」의 도치 어순)
= It was not until B that A (A는 「주어+동사」의 정상 어순)

※ 출제 포인트 ① 부정　② 도치　③ It ~ that … 강조 확인

---

- 그는 아프고 나서야 건강의 소중함을 알게 되었다.

He didn't realize the value of health until he got sick.

= (Not until he got sick) did he realize the value of health.

= It was not until he got sick that he realized the value of health.

# 능동태 vs. 수동태 구분

## 출제 유형 027 | 능동태/수동태

**전략** 동사의 형태가 단순하지 않다면 이는 동사의 형태 문제로서 동사의 수/태/시제를 묻는 문제입니다.
따라서 동사에 밑줄 긋고, 주어-동사의 수 일치를 먼저 확인한 후 이상이 없다면
문맥과 목적어 유무를 통해 능동태/수동태가 올바르게 쓰였는지 확인해야 합니다.

| 구분 | 능동태 | 수동태 |
| --- | --- | --- |
| 기능 | 주어가 동작을 능동적으로 수행 | 주어가 동사의 동작을 받음 |
| 의미 | ~하다 | ~되다, ~당하다 |
| 예문 | She opened the door.<br>그녀가 문을 열었다. | The door was opened by her.<br>문이 그녀에 의해 열렸다. |

### 01 주어와의 의미 관계 파악에 의한 능동/수동의 구분

- The books were written by him.  그 책들은 그에 의해 쓰였다.
   주어　　　동사(수동태)

➡ 주어(The books)가 동사(write)를 직접 할 수 없고 동사가 '쓰여져야 하는' 수동의 관계임을 파악할 수 있다.

### 02 동사의 유형과 목적어의 존재 유무에 의한 능동/수동의 구분

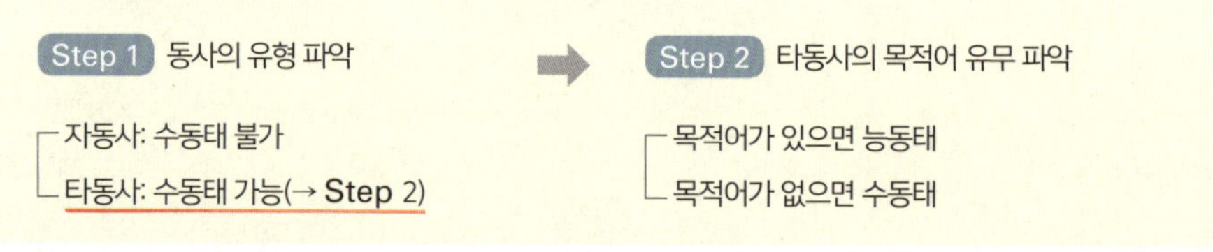


- Scientists discovered the fact.  과학자들이 그 사실을 발견했다.
   타동사　　　목적어

➡ 타동사 discover의 목적어 the fact가 있으므로 능동태 문장이다.

- The fact was discovered.  그 사실은 발견되었다.
   타동사 (목적어 ×)

➡ 타동사 discover의 목적어가 없고 주어인 the fact가 동사의 동작을 받고 있으므로 수동태 문장이다.

# 동사의 유형별 수동태

## 출제 유형 028 | 자동사의 수동태

**전략** 동사에 「be p.p.」가 보이면 밑줄 긋고,
만일 자동사라면 뒤의 전치사의 유무를 통해 수동태가 올바른지 확인해야 합니다.

### 01 자동사 → 수동태 불가

| | |
|---|---|
| occur  happen  arise  seem  appear  emerge<br>look  become  retire  expire<br>consist of  belong to  result from | 수동태 불가 |

**능동태**　　The accident occurred.  사고가 발생했다.

⇨ **수동태**　　The accident <u>was occurred</u>. (X)

### 02 자동사 + 전치사 → 수동태 가능

| | | |
|---|---|---|
| laugh at　~를 비웃다 | look at　~를 쳐다보다 | 수동태 가능 |
| look after　~를 돌보다 | run over　~를 (차로) 치다 | (전치사 확인) |

**능동태**　　They laughed at me.  그들은 나를 비웃었다.

⇨ **수동태**　　I <u>was laughed at</u> by them. (O)

　　　　　　　I was laughed by them. (X)

**전략** 동사에 「be p.p.」가 보이면 밑줄 긋고,
동사의 유형별로 주의할 점을 근거로 표시하며 문법이 적절한지 확인해야 합니다.

**01** 주로 전치사와 함께 사용되는 타동사의 경우 수동태 전환 시 전치사가 빠지지 않아야 한다.

**능동태**    The man robbed her of her bag.  그 남자가 그녀의 가방을 강탈했다.

⇨ **수동태**    She was robbed of her bag. (O)
She was robbed her bag. (X)

**02** that절의 주어가 수동태의 주어가 되는 경우 뒤에 to부정사가 오는 점을 유의하자.

**능동태**    They say that he is sick.  그들은 그가 아프다고 말한다.

⇨ **수동태**    He is said to be sick.  그가 아프다고 한다.

**03 수여동사의 수동태**

두 개의 목적어가 있으므로 동사 뒤에 목적어가 하나 있어도 수동일 수 있으므로 주의하자. (give, offer 등이 자주 출제)

**능동태**    They gave us a small gift.  그들은 우리에게 작은 선물을 주었다.

⇨ **수동태**    We were given a small gift (by them).  우리는 작은 선물을 (그들에게) 받았다.

⇨ **수동태**    A small gift was given to us (by them).
작은 선물이 (그들에 의해서) 우리에게 주어졌다.

전략　사역동사·지각동사가 「be p.p.」 형태로 쓰이면 동그라미,
바로 뒤에 이어지는 목적격보어에 밑줄 그어, 그 형태가 동사원형이 아닌 to부정사인 것을 확인해야 합니다.

## 01 사역·지각동사의 수동태

사역·지각동사의 경우 능동태의 목적격보어인 동사원형이 수동태에서는 to부정사의 형태가 된다.

**능동태**　　I made him repair my car.　나는 그에게 내 차를 수리하게 했다.

⇨ **수동태**　　He was made to repair my car (by me).　그는 내 차를 수리하게 되었다.
　　　　　　　사역동사의 수동태　목적격보어

## 02 명사를 목적격보어로 취하는 동사의 수동태

주로 명사를 목적격보어로 취하는 불완전타동사(call, name, elect 등)의 경우, 동사의 뒤에 명사가 있어도 이는 목적어가 아니라 목적격보어이므로 수동태가 될 수 있음에 유의하자.

**능동태**　　We elected her the chairperson.　우리는 그녀를 이장으로 선출했다.
　　　　　　　　목적어　　목적격보어

⇨ **수동태**　　She was elected the chairperson (by us).　그녀는 (우리에 의해서) 의장으로 선출되었다.
　　　　　　　　　　목적격보어

# 조동사의 선택

## 출제 유형 031 | 주요 조동사

**전략** 조동사의 의미를 묻는 경우, 조동사의 개념(능력, 가능, 허가, 추측, 의무)을 구분하여 판단해야 합니다.
문장 내에서 힌트가 되는 내용이 오는지 확인하는 것이 좋습니다.

| 주요 조동사 | | | |
|---|---|---|---|
| 능력<br>(~할 수 있다) | can/could | | be able to |
| 허가, 가능<br>(~해도 좋다) | can/could | may | |
| 추측<br>(~일지도 모른다) | can/could | may/might | must (강한 추측 '~임에 틀림없다')<br>cannot (강한 추측 '~일 리가 없다') |
| 의무<br>(~해야 한다) | | | must (⇔ must not)<br>ought to (⇔ ought not to)<br>have to (⇔ don't have to = need not) |

- The professor **must** be over 60.
그 교수는 60살이 넘었음에 틀림없다. (추측)

- He looks so young. He **cannot** be a teacher.
그는 매우 어려 보인다. 그는 선생님일 리가 없다. (추측)

- They **have to** submit their homework by this evening.
그들은 오늘 저녁까지 과제를 제출해야 한다. (의무)

- You **don't have to** speak English in this classroom.
너는 이 교실에서 영어로 말할 필요가 없다. (의무)

**전략** 「used to/be used to」가 보이면 동그라미 후 이어지는 동사의 형태가 동사원형인지 동명사인지 밑줄 그어 확인해야 합니다.

「may as well」은 이어지는 동사의 형태를 확인하고 「cannot ~ too」는 문맥상 적합한 의미인지 확인해야 합니다.

## 01 used to & be used to

| | |
|---|---|
| used to + 동사원형 | ~하곤 했다(현재와 다른 과거의 습관이나 과거의 사실) |
| be used to -ing / 명사 | ~하는 데 익숙하다 |
| be used to + 동사원형 | ~하기 위해 사용되다 |

- He used to take a walk every morning.  그는 매일 아침 산책을 하곤 했다. (지금은 하지 않는다.)
- He is used to getting up early in the morning.  그는 아침 일찍 일어나는 것에 익숙하다.
- The car is used to dump garbage.  그 차는 쓰레기를 버리는 데 사용된다.

## 02 may 사용 주요 관용 어구

| | |
|---|---|
| may well + 동사원형 | ~이 당연하다 |
| may as well + 동사원형 | ~하는 것이 낫다(= had better) |
| may as well A as B | B보다 A가 낫다 |

- He may well get angry with you.  그가 너에게 화를 내는 것은 당연하다.
- You may as well do it at once.  너는 그것을 즉시 하는 것이 낫다.
- He may as well leave as stay.  그는 머무르기보다는 떠나는 것이 낫다.

## 03 can 사용 주요 관용 어구

| | |
|---|---|
| cannot ~ too | 아무리 ~해도 지나치지 않다 |

- You cannot be too careful in choosing your friends.
  친구를 선택할 때 아무리 주의해도 지나치지 않다.

# 당위의 조동사 should

## 출제 유형 033 | (should)+동사원형

**전략** 「주장/요구/제안/명령 동사」에 동그라미,
또는 「it ~ that ....」 가주어·진주어 구문에서 판단의 형용사에 동그라미 후,
that절의 동사에 밑줄 그어 「(should)+동사원형」의 형태인지 확인해야 합니다.

### ★ 01 주장, 요구, 제안, 명령 동사

| 주절 | | 종속절 |
|---|---|---|
| | 주장 | insist | |
| S + | 요구 | ask, demand, require, request | + that + S' + (should) 동사원형 |
| | 제안 | suggest, propose, recommend, advise | |
| | 명령 | order, urge, command | |

- I recommended that he finished the composition by noon. (X)

  ⇨ I recommended that he (should) finish the composition by noon. (O)
  나는 그에게 정오까지 작곡을 끝내야 한다고 충고했다.          2001 입법고시

- There was a suggestion that a hospital (should) be built in our town.
  병원이 우리 마을에 지어져야 한다는 제안이 있었다.

  ➡ 제안, 주장, 요구를 의미하는 명사들의 동격절의 동사도 「(should) + 동사원형」을 써야 한다.

### 02 판단의 형용사

| 가주어 It + 판단의 형용사 | | 진주어 that절 |
|---|---|---|
| It + be동사 + | important (of importance)<br>essential　　crucial<br>necessary　　appropriate<br>desirable　　natural | + that + S' + (should) 동사원형 |

- It is necessary that he (should) work hard.  그가 열심히 일해야 하는 것은 필수적이다.

  It is necessary that he works hard. (X)

# 조동사+have p.p.

## 출제 유형 034 | 조동사+have p.p.

**전략** 문맥상 '~했을 지도 모른다/~했어야 했다'라는 의미를 나타낼 경우,
「may have p.p./should have p.p.」가 올바르게 쓰였는지 확인해야 합니다.

| | | | |
|---|---|---|---|
| 추측 | may | have p.p. | ~했을 지도 모른다 |
| | would | have p.p. | ~했을 것이다 |
| | must | have p.p. | ~했음에 틀림없다 |
| | cannot | have p.p. | ~했을 리가 없다 |
| 후회 | should / ought to | have p.p. | ~했어야 했다(그런데 안 했다) |
| | shouldn't | have p.p. | ~하지 않았어야 했다(그런데 했다) |
| 필요 | need not | have p.p. | ~할 필요가 없었다(그런데 했다) |

- You should have gone.  너는 갔어야 했다(그런데 가지 않았다).
- He must have known the way.  그는 그 길을 알았음에 틀림없다.
- He cannot have known the way.  그가 그 길을 알았을 리가 없다.

# Chapter 03
# 명사, 대명사, 일치


POINT 21    명사의 이해

POINT 22    관사의 이해

POINT 23    관사의 위치

POINT 24    인칭대명사

POINT 25    부정대명사

POINT 26    부분부정 vs. 전체부정

POINT 27    주어-동사 수 일치

2026 이동기 영어
핵심문법 50포인트 요약 노트

# 명사의 이해

## 출제 유형 035 | 명사의 표시

**전략** 명사의 형태를 묻는 문제라면 명사에 동그라미 후,
우선 셀 수 있는 명사/셀 수 없는 명사인지 판단하고
이에 따라 관사 유무, 수식어 선택, 명사의 형태가 올바른지 확인해야 합니다.

셀 수 있는 명사와 셀 수 없는 명사는 각각 표시하는 방법이 다르므로 주의해야 한다.

| 구분 | 셀 수 있는 명사<br>(보통명사, 집합명사) | 셀 수 없는 명사<br>(고유명사, 추상명사, 물질명사) |
|---|---|---|
| 형태 | · 단수: a/an + 명사<br><br>· 복수: 명사 –s/–es | · 단수: a/an + 명사 (×)<br><br>· 복수: 명사 –s/–es (×) |

- My father should buy a new car.
  나의 아버지가 새로운 차를 구입해야 한다.

  My father should buy new car. (×)

- The man washed his hands in hot water.
  그 남자는 뜨거운 물에 손을 씻었다.

  The man washed his hands in a hot water. (×)

**전략** 수식어 many/much, few/little이 보이면 밑줄, 수식받는 명사에 동그라미 후,
셀 수 있는 명사/셀 수 없는 명사인지 판단하고 앞선 수식어가 올바르게 쓰였는지 확인합니다.

수형용사

many 많은  a few 조금  few 거의 없는

quite a few 상당수의

a number of 다수의

several 몇몇의  various 여러 가지의

a variety of 여러 가지의

+ 셀 수 있는 명사

양형용사

much 많은  a little 조금  little 거의 없는

quite a little 꽤많은

a good/great deal of 다량의

a good/large amount of 다량의

+ 셀 수 없는 명사

- The room was crowded, but there were a few seats left.
  방은 혼잡했지만 몇몇 자리는 남아 있었다.

- She has little experience in this kind of work.
  그녀는 이런 종류의 일에 경험이 거의 없다.

**전략** 절대 불가산명사가 보이면 동그라미 후, a/an, –s, 수식어, 동사의 수가 올바른지 확인해야 합니다.

아래의 절대 불가산명사는 복수 형태로 사용되면 틀리고, much, little, a little, some 등과 쓰인다.

| information | news | knowledge | money | homework |
| --- | --- | --- | --- | --- |
| furniture | machinery | equipment | jewelry | clothing |
| traffic | baggage | luggage | advice | evidence |

- We have a few informations on that subject. (X)

  ⇨ We have much information on that subject. (O)

  우리는 그 주제에 관한 많은 정보를 갖고 있다.

- My sister was upset last night because she had to do too many homeworks. (X)

  ⇨ My sister was upset last night because she had to do too much homework. (O)

  누나는 해야 할 숙제가 너무 많아서 어젯밤 화가 났다.

**전략** 집합명사가 주어로 사용된 경우 동그라미 후, 동사를 찾아 밑줄을 그어 주어–동사의 수 일치를 확인해야 합니다. 특히, 그 의미가 구성원들을 의미할 때 복수형태의 동사와 쓰일 수 있음을 기억해야 합니다.

## 01 지칭하는 대상에 따라 단수, 복수 취급이 다른 집합명사

> family, committee, audience, staff, crowd, team, group, class, army, jury

위의 집합명사들은 지칭 대상이 하나의 집합체면 단수 취급, 지칭 대상이 집합체의 여러 구성 요소들이면 복수 취급을 한다.

- The committee consists of twelve members.   그 위원회는 열두 명으로 구성되어 있다.

  ➡ 이 문장에서 committee는 위원회라는 집합체를 지칭하므로 단수 취급하여 동사인 consist가 단수형인 consists의 형태를 취하고 있다.

- The committee are all Harvard graduates.   위원들은 모두 하버드 졸업생들이다.

  ➡ 이 문장에서 committee는 위원회의 구성원인 위원들을 지칭하므로 복수 취급하여 동사인 be동사가 복수형인 are의 형태를 취하고 있다.

## 02 반드시 복수 취급하는 집합명사

| | | |
|---|---|---|
| 반드시 복수 취급 | cattle 소(떼) | poultry 가금류 |
| the를 붙여 복수 취급 | the police 경찰 | the clergy 성직자들 |

- Cattle were grazing on the field.   소들이 들판에서 풀을 뜯고 있었다.
- The police of Britain wear blue uniforms.   영국의 경찰은 푸른색 제복을 입는다.

## 출제 유형 039 | 관사의 용법

**전략** 「the+형용사/분사」가 보이면 동그라미, 형용사/분사의 형태가 올바른지 확인합니다.
주어로 쓰인 경우 동사에 밑줄 그어 주어와 수 일치가 올바른지 확인해야 합니다

### 관사 빈출 용법

① the + 형용사/분사 = 복수 보통명사
② 동사 + 목적어 + 전치사 + the + 신체 부위

- The young respect the old.  젊은이들은 노인들을 존경한다.
- The rich pay more in taxes.  부자들은 더 많은 세금을 낸다.
- He pulled me by the hand.  그는 나의 손을 잡아당겼다.
- He patted her on the shoulder.  그는 그녀의 어깨를 토닥거렸다.

# 관사의 위치



> **전략** 부사인 so, too, as, 한정사인 such가 보이면 동그라미하고
> 이어지는 관사와 명사에 각각 밑줄표시하며 어순을 확인해야 합니다.

## ☆ 01 주의할 관사의 위치

$$\begin{bmatrix} so \\ as \\ too \\ how \end{bmatrix} + 형용사 + a/an + 명사 \qquad \begin{bmatrix} such \\ quite \\ rather \\ what \end{bmatrix} + a/an + 형용사 + 명사$$

- He is (so) good a teacher.  그는 매우 훌륭한 선생님이다.
- This is (too) good a chance to lose.  이것은 잃어버리기엔 너무 좋은 기회이다.
- He is (such) a good teacher.  그는 매우 훌륭한 선생님이다.

## 02 so vs. such

| so : 너무, 대단히 | such : 너무나 ~한 |
|---|---|
| 부사로 뒤의 형용사나 부사를 수식 | 한정사로 뒤에 **반드시 명사**를 취해야 함 |

- He is so (kind) that everyone likes him.
  그는 매우 친절해서 모든 사람이 그를 좋아한다.

  = He is so kind a man that everyone likes him.

  = He is such a kind man that everyone likes him.

  He is such kind that everyone likes him. (X)

## 출제 유형 041 | 재귀대명사

**전략** -self/-selves가 목적어로 쓰인 경우 밑줄 표시 후, 앞에 위치한 동사의 주어를 찾아 동그라미 하고 목적어와 주어가 동일 대상인지 확인해야 합니다.

$$S = O \ (\text{-self} \ / \text{-selves})$$

- **She** has to support <u>herself</u>. (she = herself) 그녀는 스스로를 부양해야 한다.

- **They** liked <u>itself</u>. (X)  그들은 그것을 좋아했다.
  → it

➡ 주어인 **They**와 목적어인 **itself**가 동일한 대상이 아니므로 재귀대명사인 **itself**를 쓸 수 없다.

**전략** 문장 맨 앞의 it에 세모, 진주어인 to부정사/명사절을 찾아 세모 표시하며 형태가 올바른지 확인합니다.
5형식으로 사용된 문장에서 동사 뒤의 it 세모, 진목적어인 to부정사/명사절을 찾아 세모하고
문장의 형태가 올바른지 확인합니다.

## 01 가주어 It

| 가주어 | 보어 | 진주어 |
|---|---|---|
| It + be동사 + | 〔형용사 / 분사 / 명사〕 + | 〔to부정사구 / 명사절〕|

- It is difficult to be happy. 행복하기는 어렵다.
- It is certain that he will succeed. 그가 성공할 것이 확실하다.

## 02 가목적어 It

| 가목적어 | 목적격보어 | 진목적어 |
|---|---|---|
| 주어 + 동사 + it + | 〔형용사 / 분사 / 명사〕 + | 〔to부정사구 / 명사절〕|

- They found it natural for children to want to keep playing with their friends.
  그들은 아이들이 친구들과 계속 놀기를 원하는 것이 당연하다는 것을 알았다.

> **전략** it/its, they/their/them 등 대명사에 밑줄이 있으면
> 앞에 위치한 대상 명사를 찾아 동그라미 하고 수 일치를 확인해야 합니다

명사의 반복을 피하기 위해 대명사를 사용할 때는 대상 명사가 단수면 단수 대명사, 복수면 복수 대명사를 써야 한다.

| 명 사 | 대명사 |
| --- | --- |
| 사람 단수 | he, she, his, her, him, himself, herself |
| 사물 단수 | it, its, itself |
| 사람 · 사물 복수 | they, their, them, themselves |

- The earth's magnetic poles are not fixed, but slowly shift their position.
  지구의 자극들은 고정된 것이 아니라 그 위치를 천천히 변경한다.

- The earth's magnetic poles are not fixed, but slowly shift its position. (×)

# 부정대명사

## 출제 유형 044 | one, another, other

**전략** another/the other가 보이면 밑줄 긋고 지칭하는 대상에 동그라미,
그 수가 2개인지 3개 이상인지를 파악한 후 올바르게 쓰였는지 확인해야 합니다

### 01 개별 지칭 방법

| 두 개일 때 | 세 개 이상일 때 |
| --- | --- |
| one ~, the other ~<br>처음 하나 ~, 나머지 하나 ~ | one ~, another ~, the other ~<br>처음 하나 ~, 또 다른 하나 ~, 마지막 하나 ~<br>others ~, the others ~<br>다른 것들 ~, 나머지 것들 ~ |

- My brothers are both abroad: one lives in England, and the other in Sweden.
  내 형제들은 둘 다 외국에 있다. 한 명은 영국에서 살고, 다른 한 명은 스웨덴에서 산다.

### 02 주요 표현

| A와 B는 별개의 문제이다 | A is one thing and B is another. |
| --- | --- |

- To know is one thing and to teach is another.
  아는 것과 가르치는 것은 별개의 문제이다.
- To know is one thing and to teach is the other. (X)

> **전략** every가 보이면 동그라미, 뒤에 수식받는 명사가 단수인지 확인해야 합니다.
> '매, ~마다'라는 의미를 표현하는 경우 함께 쓰이는 수 형용사에 동그라미 후,
> 서수인지, 기수인지에 따라 뒤에 오는 명사의 단수/복수를 구분해야 합니다.

## 01 "모든"을 의미하는 every는 부정형용사로 단수 명사와 함께 쓰인다.

every + 명사(단수) + 동사(단수)

- Every boy and girl has submitted his or her homework.
  모든 소년, 소녀들이 자신의 숙제를 제출했다.

- Every boy and every girl is good in our class.
  우리 학급에서 모든 소년과 소녀들이 잘한다.

## 02 '~마다'

every + 기수 + 복수(기간) 명사　　　　　　　every + 서수 + 단수(기간) 명사

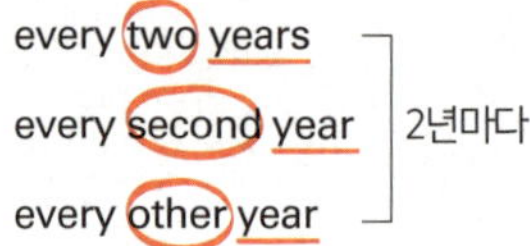

every two years ┐
every second year ├ 2년마다
every other year ┘

# POINT 26 부분부정 vs. 전체부정

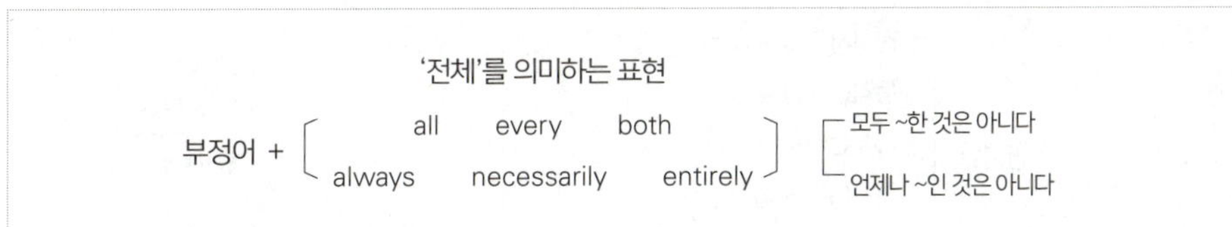



**전략** '모두 ~한 것은 아니다' 또는 '언제나 ~인 것은 아니다'의 의미는 부분부정으로 나타내어야 합니다. 이때, 문장에서 전체 의미의 표현에 동그라미, 부정부사(not)에 밑줄을 그어 부분부정의 형태가 올바른지 확인합니다.

## 01 부분부정

> '전체'를 의미하는 표현
>
> 부정어 + [ all  every  both / always  necessarily  entirely ] ┌ 모두 ~한 것은 아니다
> └ 언제나 ~인 것은 아니다

- I don't like all of them.  나는 그들 모두를 좋아하지는 않는다.
- The rich are not always happy.  부자들이 언제나 행복한 것은 아니다.

## 02 전체부정

> no  neither  no one  none  never  nothing  nobody
> 아무도 ~하지 않다 / 언제나 ~ 않다

- I like none of them.  나는 그들 중 아무도 좋아하지 않는다.
- The poor are never happy.  가난한 사람들은 결코 행복하지 않다.

# 주어-동사 수 일치

**출제 유형 047** | 주어가 복잡한 경우의 주어 – 동사 수 일치

**전략** 주어가 긴 경우 주어 – 동사의 수 일치 문제가 자주 출제되므로
주어에 동그라미, 동사에 밑줄하여 수 일치를 확인해야 합니다.

## 01 주어가 복잡한 경우의 주어 – 동사 수 일치

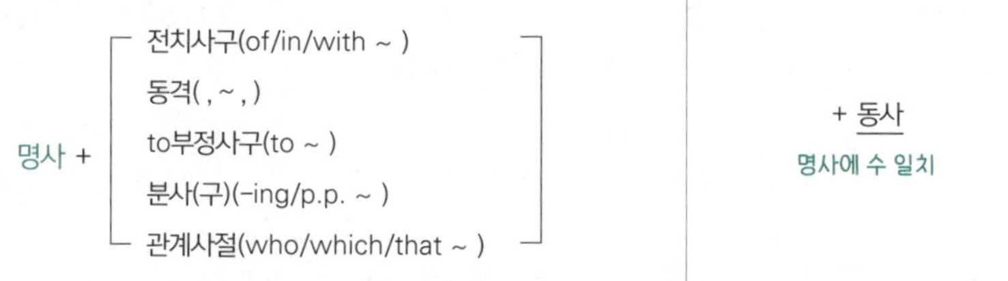


- The students in the classroom were accepted by the university.
  그 반의 학생들은 대학에 합격했다.

- Books written by female writers sell pretty well.
  여성 작가에 의해 쓰인 책들이 꽤 잘 팔린다.

- The courses which are listed in the catalog are required courses.
  카탈로그에 열거된 강좌들은 필수 강좌이다.

## 02 관계대명사의 선행사와 관계사절 동사의 수 일치

주격 관계대명사가 사용된 관계사절의 동사는 선행사에 수 일치를 시켜야 한다. 선행사가 동사의 주어 역할
을 하기 때문이다.

선행사(N) (who/which/that + V' ~ )

- I need to attend the class which is provided by the company.
  나는 회사에 의해 제공된 수업에 참석할 필요가 있다.

**전략** 주어가 「the number of」인 경우 the number에 동그라미,
주어가 「a number of」인 경우 뒤에 나온 명사에 동그라미, 동사에 밑줄 그어 수 일치를 확인합니다.
또한 주어가 「부분사 of 명사」인 경우 뒤에 나오는 명사에 동그라미, 동사에 밑줄 그어 수 일치를 확인합니다.

## 01 등위상관접속사의 수 일치

| 구분 | 의미 | 수 일치 |
| --- | --- | --- |
| both A and B | A와 B 둘 다 | 주어로 쓰일 경우 동사는 복수 형태 |
| either A or B | A와 B 둘 중 하나 | 주어로 쓰일 경우 동사는 B에 일치 |
| Neither A nor B | A와 B 둘 다 아닌 | 주어로 쓰일 경우 동사는 B에 일치 |

- Either you or she is correct.  너나 그녀 중 한 명만 옳다.
- Neither you nor she is correct.  너나 그녀 둘 다 옳지 않다.

## 02 단일 개념의 A and B

| | | |
| --- | --- | --- |
| slow and steady | 천천히 그리고 꾸준히 하는 노력 | |
| bread and butter | 버터 바른 빵 | |
| all work and no play | 공부만 하고 놀지 않기 | + 단수 동사 |
| trial and error | 시행착오 | |
| early to bed and early to rise | 일찍 자고 일찍 일어나기 | |

- Bread and butter is my usual breakfast.  버터 바른 빵은 나의 일상적인 아침 식사이다.
- All work and no play makes Jack a dull boy.  공부만 하고 놀지 않는 아이는 바보가 된다.

## 03 부분사 + of의 수 일치

| 부분사 | | |
| --- | --- | --- |
| some, any, half, all, most<br>the rest, the majority<br>분수, %   + of | + N + V | ➡ N에 수 일치 |
| More than | + N + V | ➡ N에 수 일치 |

- Some of my students are going to see the movie.
  몇몇 나의 학생들은 영화를 보러 갈 것이다.

- The majority of the wine is from Spain.  와인의 대부분이 스페인에서 온다.


### ⭐ 04 비교해서 암기해야 할 수 일치

| the number of + 복수 명사 '~의 수' | + 단수 동사 |
| --- | --- |
| a number of(= many) + 복수 명사 '많은 ~' | + 복수 동사 |
| Many + 복수 명사 | + 복수 동사 |
| Many a + 단수 명사 | + 단수 동사 |

- The number of students in the class is fifteen.  그 학급의 학생 수는 15명이다.

- A number of farmers were working in the field.  많은 농부들이 들판에서 일하고 있었다.

- Many people come here to see the tower.  많은 사람들이 그 탑을 보러 여기 온다.

- Many a person comes here to see the tower.  많은 사람들이 그 탑을 보러 여기 온다.


### 05 반드시 단수 취급하는 경우

| 구와 절  동명사구/to부정사구  명사절 | 단수 취급 |
| --- | --- |
| 단위 개념 [ 시간, 거리, 무게, 금액 ] | 단수 취급 |

- Driving sports cars is my hobby.  스포츠카를 운전하는 것은 내 취미이다.

- Five years is not a short period.  5년은 짧은 기간이 아니다.

**전략** 문장의 앞에 도치를 유도하는 요소가 나오면 괄호 표시하고,
먼저 나오는 동사에 밑줄, 주어에 동그라미하여 수 일치를 확인해야 합니다.

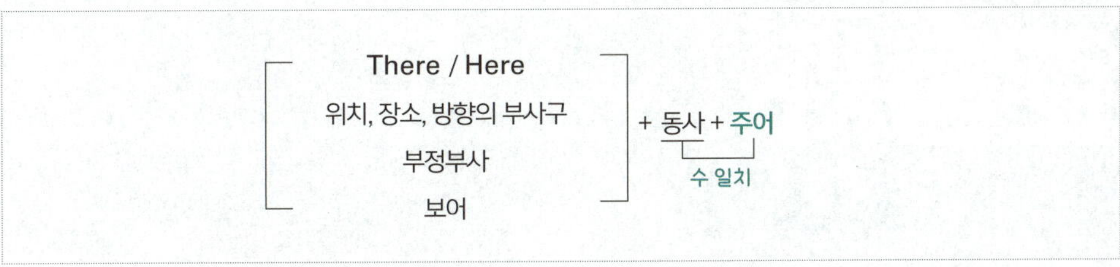


- (There) are many simple things you can do to protect nature when you travel. 2013 법원직 9급
  여행을 할 때 자연을 보호하기 위해 여러분들이 간단히 할 수 있는 일들은 많다.

- (On the south of the market) rises up the church with its great tower.
  시장의 남쪽에 큰 탑을 가진 교회가 솟아 있다.

- (Only once) was the man late for class.
  그 남자가 수업에 늦은 것은 단지 한 번뿐이었다.

- Less common than dinosaur footprints are the impressions that were made by the skin of the giant reptiles.
  거대한 파충류의 피부에 의해 만들어진 자국들은 공룡 발자국들보다 덜 흔하다.

# Chapter 04
# 준동사


**POINT 28**    동명사의 역할

**POINT 29**    to부정사의 역할

**POINT 30**    준동사의 형태 변화

**POINT 31**    준동사 주요 표현

**POINT 32**    현재분사 vs. 과거분사

**POINT 33**    분사구문

2026 이동기 영어
핵심문법 50포인트 요약 노트

# 동명사의 역할

**출제 유형 050** | 목적어의 역할을 하는 동명사

**전략** 동명사에 밑줄 그은 후 뒤의 동사/앞선 타동사/be동사/전치사에 동그라미해서
그 용법이 옳은 것인지 확인해야 합니다.

## 01 주어

- Driving in the rain <u>requires</u> people to take special care.
  주어

  빗속에서 운전하는 것은 사람들에게 각별한 주의를 요구한다.

## 02 목적어

- I have <u>enjoyed</u> talking over my school years.
  타동사의 목적어

  나는 학교생활에 대해 말하며 즐거운 시간을 가졌다.

- She is thinking <u>of</u> buying a new smartphone.
  전치사의 목적어

  그녀는 새 스마트폰 구입을 고려 중이다.

## 03 보어

- Her job <u>is</u> selling flowers.  그녀의 직업은 꽃을 파는 것이다.
  be동사의 보어

# to부정사의 역할

**출제 유형 051 | to부정사 명사 역할**

**전략** to부정사에 밑줄 긋고, 뒤의 동사/앞선 타동사/be동사에 동그라미,
가주어와 가목적어 it에 세모, 진주어와 진목적어인 to부정사에 세모하여
올바른 용법인지 확인해야 합니다.

## 01 주어 (주로 가주어 It, 진주어 to부정사의 형태로 사용)

- To learn a foreign language is difficult.
  주어

  = It is difficult to learn a foreign language.

  외국어를 배우는 것은 어렵다.

## 02 목적어

- He managed to submit the paper just in time.
  타동사의 목적어

  그는 논문을 가까스로 제때에 제출했다.

## 03 보어

- A main duty of firemen is to put out fires.
  주격보어

  소방관의 주요 임무는 화재를 진압하는 것이다.

- This program allows us to navigate the web easily.
  목적격보어

  이 프로그램은 우리가 웹을 쉽게 탐색할 수 있게 해준다.

**전략**　「to+자동사」가 쓰인 경우 앞에 위치한 명사가 의미상의 목적어이면
의미상의 목적어에 동그라미 후, 적절한 전치사가 있는지 확인해야 합니다.

## 01  주로 to부정사의 수식을 받는 명사

| chance | opportunity | way | method | ability | |
|---|---|---|---|---|---|
| attempt | effort | plan | willingness | | + to부정사 |
| 서수　　　　최상급 | | | | | (~할) |
| the only　　the very　　the next ┐+명사 | | | | | |

- I had a chance to propose to her, but I didn't.
  나는 그녀에게 청혼할 기회가 있었지만 하지 않았다.

## 02  to부정사 + 전치사 용법

- I need a house to live in.  나는 살 집이 필요하다.
  　　　　　　to + 자동사

| | |
|---|---|
| someone <u>to depend on</u>  의존할 누군가 | something <u>to be afraid of</u>  두려운 어떤 것 |
| someone <u>to care for</u>  돌봐야 할 누군가 | someone <u>to take care of</u>  돌봐야 할 누군가 |
| place <u>to live in</u>  살 장소 | money <u>to live on</u>  생활할 돈 |

**전략** 「only to ~」와 「never to ~」에 밑줄,
결과의 의미를 전달하는 to부정사의 부사적 용법으로 옳게 쓰인 것인지 봐야 합니다.

| 목적<br>(~하기 위하여) | He came to me to discuss the matter.<br>그는 그 문제를 논의하기 위해 내게 왔다. |
|---|---|
| 이유<br>(~해서) | I was glad to hear that.<br>나는 그것을 듣게 되어서 기뻤다. |
| 결과<br>(~해서 결국<br>…하게 되다) | only to ~ 결국 ~하게 되다<br>He visited the museum only to find it closed.<br>그는 박물관을 방문했으나 결국 그것은 닫혀 있을 뿐이었다.<br><br>never to ~ 결국 ~하지 못하다<br>She left her hometown never to return.<br>그녀는 고향을 떠났지만 결국 돌아오지 못했다. |
| 형용사와 부사<br>수식 | too 형용사/부사 to … …하기엔 너무 ~하다(너무 ~해서 …할 수 없다)<br>He is too old to walk for more than two hours.<br>그는 너무 나이가 들어서 두 시간 이상 걸을 수 없다.<br><br>형용사/부사 enough to … …할 만큼 충분히 ~하다<br>She is old enough to get married.<br>그녀는 결혼을 할 만큼 충분히 나이가 들었다. |

# 준동사의 형태 변화

## 출제 유형 054 | 준동사의 능동과 수동

**전략** 동명사와 to부정사가 보이면 밑줄 긋고
의미와 목적어의 유무를 통해 능동/수동을 구분하여 그 형태가 올바른지 확인해야 합니다.
또한, 문장의 전체 동사인 본동사의 시제보다 준동사가 의미하는 시제가 앞선 경우 완료형을 사용해야 합니다.

| | | | |
|---|---|---|---|
| 태 | 동명사 | 능동<br>-ing | She likes <u>speaking</u> ill of others.<br>그녀는 남을 험담하길 좋아한다. |
| | | 수동<br>being p.p. | She hates <u>being spoken</u> ill of.<br>그녀는 험담되는 것을 싫어한다. |
| | to부정사 | 능동<br>to 동사원형 | She tried <u>to show</u> me how to solve the problem.<br>그녀는 나에게 그 문제 푸는 방법을 보여주려 노력했다. |
| | | 수동<br>to be p.p. | She tried <u>to be shown</u> as an attractive lady.<br>그녀는 매력적인 숙녀로 보이려고 노력했다. |
| 시제 | 동명사 | 단순<br>-ing | She is proud of <u>being</u> beautiful.<br>그녀는 그녀의 아름다움을 자랑스러워한다. (현재의 아름다움) |
| | | 완료<br>having p.p. | She is proud of <u>having been</u> beautiful in her youth.<br>그녀는 젊었을 때 그녀가 아름다웠던 것을 자랑스러워한다.<br>(과거의 아름다움) |
| | to부정사 | 단순<br>to 동사원형 | He is said <u>to be</u> sick.<br>그는 아프다고 한다. |
| | | 완료<br>to have p.p. | He is said <u>to have been</u> sick.<br>그는 아팠다고 한다. |

**CHECK**

**need, want, require, deserve**

위 동사는 목적어로 수동의 의미를 나타낼 때 동명사(-ing)를 쓸 수 있다.

• This house needs painting. (O)  이 집은 페인트칠되어야 한다.

  = This house needs to be painted. (O)

**전략** 동명사와 to부정사의 의미상의 주어가 필요한 경우
동명사/to부정사에 동그라미, 의미상의 주어에 밑줄 그어 그 형태가 올바른지 확인해야 합니다.

| | | | |
|---|---|---|---|
| 의미상 주어 | 동명사 | 소유격 · 목적격 | · I appreciate your coming.<br>　나는 당신이 와줘서 고맙다.<br>· Mark's leaving caused a great stir.<br>　Mark가 떠난 것은 큰 동요를 일으켰다. |
| | to부정사 | for + (대)명사 | It was impossible for him to finish the project so soon.<br>그가 그렇게 빨리 그 프로젝트를 끝내는 것은 불가능했다. |
| | | of + (대)명사<br>(인성형용사와 함께) | It is nice of you to treat me like this.<br>이렇게 나를 대우해 주다니 당신은 친절하시군요. |
| 의미상 목적어 | 하나의 절 안에 준동사의 의미상의 목적어가 존재하면 대명사로 반복하지 않는다. | | I need a house to live in it. (X)<br>⇨ I need a house to live in. (O)<br>나는 살 집이 필요하다. |

## 출제 유형 056 | 최빈출 준동사 사용 표현

**전략** 시험에 자주 출제되는 준동사 표현들이 있습니다.
이 표현이 문장 속에 보이면 동그라미 후, 준동사(동명사/to부정사/원형 부정사)가 올바르게 선택되었는지
확인하는 것이 가장 중요합니다.

| | |
|---|---|
| **~하지 않을 수 없다**<br><br>cannot help -ing<br><br>cannot (help) but + 동사원형<br><br>have no [ choice / alternative ] but to + 동사원형 | She could not help crying over the moving scene.<br>그녀는 그 감동적인 장면에 울지 않을 수 없었다.<br>= She could not but cry over the moving scene.<br>= She had no choice but to cry over the moving scene. |
| **A하면 반드시 B한다**<br><br>never A [ without / but ] B (-ing) / B (S + V) | It never rains without pouring.<br>비가 오면 반드시 퍼붓는다.<br>= It never rains but it pours. |
| **막 ~하려던 참이다**<br><br>be on the [ point / verge / edge / brink / threshold ] of -ing<br><br>be about to + 동사원형 | He was on the point of leaving.<br>그는 막 떠나려던 참이었다.<br>= He was about to leave. |
| **~하는 것을 규칙으로 삼다**<br><br>make a point of -ing<br><br>be in the habit of -ing<br><br>make it a rule to + 동사원형 | I made a point of getting up at six every morning.<br>나는 매일 아침 여섯 시에 일어나는 것을 규칙으로 삼았다.<br>= I was in the habit of getting up at six every morning.<br>= I made it a rule to get up at six every morning. |
| **~하는 것은 불가능하다**<br><br>There is no -ing | There is no deceiving her.<br>그녀를 속이기는 불가능하다. |
| **~해도 소용없다**<br><br>It is no use/good -ing | It is no use telling a lie.<br>거짓말을 해도 소용없다. |
| **~은 말할 필요도 없다**<br><br>It goes without saying that S + V | It goes without saying that smoking damages the body.<br>흡연이 몸에 해를 끼친다는 것은 말할 필요도 없다.(누구나 다 알고 있다) |

**전략** 형태상으로 동명사보다는 다른 준동사가 더 적합해 보이지만,
이는 함정일 뿐 반드시 동명사만 사용해야 하는 빈출 표현들이 있습니다.

---

**~하는 데 어려움을 겪다**

have [ difficulty / trouble / a hard time ] (in) -ing

He had a hard time (in) studying English.
그는 영어를 공부하는 데 어려움을 겪었다.

---

**~하느라 바쁘다**

be busy (in) -ing

She was busy preparing for the test.
그녀는 시험 준비를 하느라 바빴다.

---

**~하는 데 (시간/돈)을 쓰다/낭비하다**

[ spend / waste ] 시간/돈 (in) -ing

They spent the whole day swimming in the pool.
그들은 수영장에서 수영을 하는 데 하루를 모두 보냈다.

---

**~할 만한 가치가 있다**

be [ worth / worthy of ] -ing

The book is worth reading.
그 책은 읽을 만한 가치가 있다.
= The book is worthy of being read.

---

# 현재분사 vs. 과거분사

**출제 유형 058** | 현재분사 vs. 과거분사 구분

**전략** 분사가 보이면 수식받는 명사에 동그라미, 수식하는 분사에 밑줄하여
의미와 목적어 유무를 통해 능동/수동을 파악하여, 현재분사/과거분사를 구분해야 합니다.

분사의 역할 : ① 명사의 앞뒤에서 명사 수식  ② 주어와 목적어를 설명하는 보어

| 현재분사(-ing) | | 과거분사(동사의 과거분사형) | |
|---|---|---|---|
| 자동사 | 진행(~하고 있는)<br>falling leaves<br>떨어지고 있는 잎들 (진행) | 자동사 | 완료(~된, ~해진)<br>fallen leaves<br>떨어진 잎들 (완료) |
| 타동사 | 능동(~하는)<br>exciting game<br>신나는 경기 (능동)<br>people using money<br>돈을 쓰는 사람들 (능동) | 타동사 | 수동(~되는, ~당하는)<br>excited audience<br>신이 난 관중 (수동)<br>money used for the car<br>그 차를 위해 쓰인 돈 (수동) |

## 01 명사를 수식하는 분사의 선택

| 현재분사<br>과거분사 + 명사 | 수식받는 명사와 수식하는 분사의 관계를 의미적으로 파악하여 능동이면 현재분사, 수동이면 과거분사를 선택 |
|---|---|
| 명사 + 현재분사<br>과거분사 | 분사로 만든 동사의 유형과 목적어 유무를 통해 쉽고 빠르게 현재분사·과거분사를 선택 |

능동
- an exhausting day 진을 빼는 하루(매우 피곤한 하루)

수동
- an exhausted driver 진이 빠진 운전자(매우 지친 운전자)

- **People drinking coffee every morning are more likely to gain weight.**
  매일 아침 커피를 마시는 사람들은 몸무게가 늘 가능성이 더 크다.



- **She found a wall painted with many different colors.**
  그녀는 많은 다양한 색으로 칠해진 벽을 발견했다.

## 02 보어 역할을 하는 분사의 선택

분사가 주격보어로 사용된 경우 주어와 분사의 관계를, 목적격보어로 사용된 경우 목적어와 분사의 관계를 의미적으로 파악하여 능동이면 현재분사, 수동이면 과거분사를 선택

| | | |
|---|---|---|
| 주격보어 | ➡ | 주어와 분사의 관계를 파악 |
| 목적격보어 | ➡ | 목적어와 분사의 관계를 파악 |

- **She stood surrounded by her friends.**  그녀는 그녀의 친구에 의해 둘러싸여 서 있었다.
  ➡ 분사인 surrounded가 주어인 She를 설명하는 주격보어로 사용되고 있다.

- **He heard his name called by someone.**
  그는 누군가에 의해 그의 이름이 불리는 것을 들었다(그는 누군가가 그의 이름을 부르는 것을 들었다).
  ➡ 분사인 called가 목적어인 his name을 설명하는 목적격보어로 사용되고 있다.

**전략** 감정유발동사(excite, surprise 등), 4형식으로 자주 사용되는 동사(give, offer 등),
5형식으로 자주 사용되는 동사(call, name 등)가 분사로 쓰인 경우
기본 용법을 고려하여 현재분사/과거분사 구분에 주의해야 합니다.

## 01 주의할 동사의 분사 선택

| | |
|---|---|
| 목적어를 두 개 취하는 수여동사 (give, offer 등) | 분사가 되는 동사 뒤에 목적어(직접목적어)가 하나 있다고 하더라도 목적어 하나가 없는 수동의 관계일 수 있으니 주의해야 한다. |
| 명사를 목적격보어로 취하는 불완전타동사 (call, name 등) | 분사가 되는 동사 뒤에 명사가 목적어가 아닌 목적격보어로 사용되었다면 수동 관계일 수 있으니 주의해야 한다. |
| 감정유발동사 (excite, surprise 등) | '스스로 ~하게 되다, 느끼다'라는 의미 전달을 위해서는 수동의 의미를 갖는 과거분사를, '~한 감정을 느끼게 하다'라는 의미를 위해서는 현재분사를 쓴다. |

- She felt jealous of the girl given a gift from her father.

수동   (직접) 목적어

그녀는 아버지로부터 선물을 받은 그 소녀에게 질투심을 느꼈다.

- She has a husband called a workaholic by his colleagues.

수동   목적격보어

그녀는 동료들로부터 일 중독자라고 불리는 남편이 있다.

- exciting game 신나는 게임

  excited audience 신이 난 관중

- convincing evidence 확실한 증거

  convinced jurors 확신하고 있는 배심원들

# 분사구문



> **전략** 분사구문이 보이면 밑줄 후, 주절의 주어에 동그라미하여
> 분사구문의 의미상의 주어와의 일치 여부를 먼저 판단합니다.
> 의미상의 주어가 일치한다면 다음으로 능동/수동 관계에 따라 분사구문의 형태가 올바른지 확인해야 합니다.

## 01 분사구문의 역할과 의미

분사구문은 부사절의 축약형이므로 부사의 역할을 한다.

| | | |
|---|---|---|
| 부대상황 | ~하면서,<br>그리고 ~하나 | · Smiling brightly, he answered "yes."<br>밝게 웃으며 그는 '네'라고 대답했다.<br>· The train starts at two, arriving there at five.<br>기차는 두 시에 출발하고, 다섯 시에 거기에 도착한다. |
| 시간 | ~할 때,<br>~하는 동안 | Walking down the street, I met a friend.<br>길을 따라 걸을 때 나는 한 친구를 만났다. |
| 이유 | ~하기 때문에 | Being sick, he was absent from school.<br>아파서 그는 학교에 결석했다. |
| 조건 | ~라면 | Turning to the left, you will find a post office.<br>왼쪽으로 돌면, 당신은 우체국을 발견할 것이다. |
| 양보 | 비록 ~지만 | Admitting you are right, I cannot forgive you.<br>네가 옳다는 것은 인정하지만, 나는 너를 용서할 수 없다. |

분사구문도 동명사나 to부정사와 마찬가지로 준동사이므로 동사의 성격을 지니고 있다는 점에서 형태의 변화가 존재한다.

| 의미상의 주어 | 주격 | · It **being** cold outside, I stayed in bed and slept. 주어 불일치<br>바깥 날씨가 추워서 나는 침대에 누워 잤다.<br>· There **being** no objection, the meeting could end in ten minutes. 주어 불일치<br>반대가 없었기 때문에 회의는 십 분 내에 끝날 수 있었다. |
|---|---|---|
| 태 | 능동 -ing | Taking vitamin C too much, we can lose our health. 주어 일치(능동)<br>비타민 C를 너무 많이 섭취하면 우리는 건강을 잃을 수 있다. |
| | 수동 (being) p.p. | (Being) Taken too much, vitamin C can be harmful. 주어 일치(수동)<br>지나치게 많이 섭취되면 비타민 C는 해로울 수 있다. |
| 시제 | 단순 분사구문 -ing | Feeling the earthquake, I ran out of the house. 같은 시제<br>지진을 느꼈을 때, 나는 집 밖으로 뛰어 나갔다. |
| | 완료 분사구문 having p.p. | Having felt shame, I don't want to go there. 앞선 시제<br>수치스럽게 느꼈기 때문에, 난 거기에 가고 싶지 않다. |
| 부정 | not -ing<br>not p.p. | Not knowing her, I didn't answer her question.<br>그녀를 알지 못하기 때문에 그녀의 질문에 답하지 않았다. |
| 접속사 + 분사구문 | | (While) watching the game, he screamed several times.<br>경기를 보는 동안 그는 몇 번이나 소리를 질렀다. |

**전략** with 뒤에 두 덩어리(명사와 분사)가 보이면 with 분사구문이므로
with에 먼저 동그라미 한 후 분사(목적격보어)에 밑줄 긋고,
목적어와 목적격보어의 능동/수동 관계에 따라 현재분사/과거분사를 구분해야 합니다.

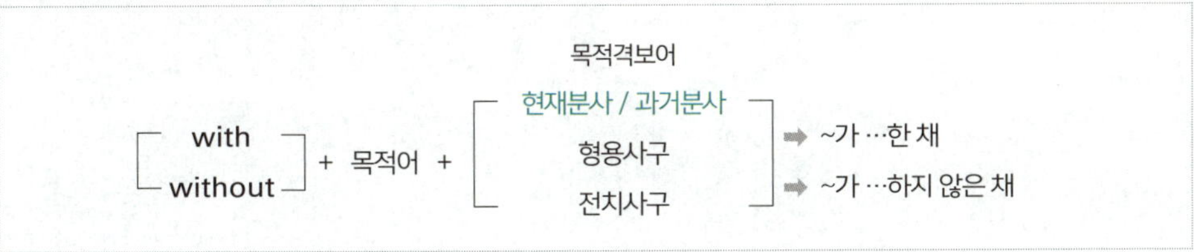

목적어와 목적격보어의 관계가 능동이면 목적격보어는 현재분사가 되고, 수동이면 과거분사가 된다.

- (with) his arms folded  팔짱을 낀 채
- (with) the TV turned on  TV를 켜둔 채
- (with) night coming on  밤이 다가오면서

# Chapter 05
# 형용사, 부사, 비교


**POINT 34**   형용사 vs. 부사

**POINT 35**   주의할 형용사와 부사

**POINT 36**   비교 구문

**POINT 37**   비교 사용 표현

**POINT 38**   비교대상의 일치

2026 이동기 영어
핵심문법 50포인트 요약 노트

# 형용사 vs. 부사



**전략** 형용사/부사를 구분하는 문제의 경우 형용사/부사에 밑줄, 수식받는 품사에 동그라미하여
올바른 품사가 맞는지 확인해야 합니다.

## 01 형용사의 역할 – 명사 수식, 주어와 목적어의 서술

| | |
|---|---|
| 형용사 + 명사 | This is an expensive book.<br>이것은 비싼 책이다. |
| 주어 + 동사 + 형용사(주격보어) | He remained peaceful.<br>그는 평화롭게 있었다. |
| 주어 + 동사 + 목적어 + 형용사(목적격보어) | He found the mission impossible.<br>그는 그 임무가 불가능하다는 것을 알았다. |

## 02 부사의 역할 – 동사, 형용사, 분사, 부사, 문장 전체 수식

| | |
|---|---|
| 부사 + 형용사/분사 | · He introduced a complete new item. (X)<br>⇨ He introduced a completely new item. (O)<br>그는 완전히 새로운 아이템을 소개했다.<br>· He explained about the new discovered island. (X)<br>⇨ He explained about the newly discovered island. (O)<br>그는 새롭게 발견된 그 섬에 관해 설명했다. |
| 부사 + 부사 | He finished up the project very neatly.<br>그는 그 프로젝트를 매우 깔끔하게 끝냈다. |

> **전략** enough가 보이면 동그라미, 수식받는 형용사나 부사에 밑줄 그어
> enough의 앞에 위치하고 있는지 확인해야 합니다.

## 01 형용사가 명사의 뒤에서 수식하는 경우

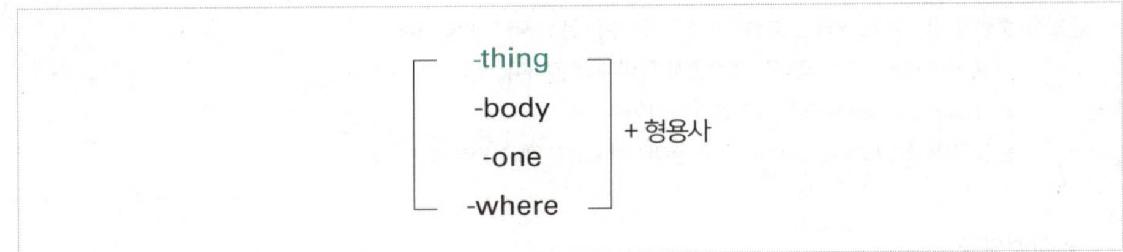

- I have (something) special for you.  너를 위한 특별한 것을 나는 갖고 있다.
- I need (something) to drink.  나는 마실 것이 필요하다.

## 02 부사의 위치

**(1) 형용사/부사 ＋ enough(부사)**

- He speaks English fluently (enough) to get a job in the U.S.
  그는 미국에서 일을 구할 수 있을 만큼 충분히 유창하게 영어로 말한다.
  He speaks English enough fluently to get a job in the U.S. (X)

**(2) 타동사구(타동사 + 부사)의 목적어**

| 대표적인 타동사구: turn on, turn off, put on, put off |
| --- |

| 타동사 + 명사 + 부사 (O) | 타동사 + 부사 + 명사 (O) |
| --- | --- |
| We put the meeting off.<br>우리는 그 회의를 연기했다. | We put off the meeting. |
| 타동사 + 대명사 + 부사 (O) | 타동사 + 부사 + 대명사 (X) |
| We put it off.<br>우리는 그것을 연기했다. | We put off it. (X) |

# 주의할 형용사와 부사

**출제 유형 064** | 수량형용사/난이형용사

**전략** 수형용사와 함께 사용된 측정단위 명사와 수단위 명사에 밑줄 그어
그 용법에 따라 단수/복수가 올바른지 확인해야 합니다.
난이형용사가 사용된 경우 동그라미 표시 후,
문장의 주어가 to부정사의 의미상의 주어/목적어인지를 확인해야 합니다.

## 01 수량형용사

### (1) 수량형용사가 측정단위명사(dollar, won, year, day, story, foot 등)과 사용될 때

| | |
|---|---|
| 서술용법으로 쓰일 경우 | → 측정단위명사는 복수<br>He is ten years old.  그는 열 살이다. |
| 명사를 수식할 경우 | → 측정단위명사는 단수<br>He is a ten-year old boy.  그는 열 살인 소년이다.<br>This is a two-story building.  이것은 2층 빌딩이다.<br>This is a two-stories building. (X) |

### (2) 수량형용사가 수단위명사(dozen, hundred, thousand, million, billion 등)와 사용될 때

| | |
|---|---|
| 특정된 수를 의미할 경우 | → 수단위명사는 단수<br>There were five hundred people.  5백 명의 사람들이 있었다.<br>There were five hundreds people. (X) |
| 막연하게 큰 수를 의미할 경우 | → 수단위명사(복수) + of<br>There were hundreds of people.  수백 명의 사람들이 있었다.<br>There were hundred of people. (X) |

| | | |
|---|---|---|
| easy, difficult, hard, tough, possible, impossible, convenient | 주어가 to부정사의 의미상의 주어인 경우 ⇨ 사람 주어 (X) | He is easy to do the work. (X) |
| | 주어가 to부정사의 의미상의 목적어인 경우 ⇨ 사람 주어 (O) | He is easy to persuade. (O) 그는 설득하기 쉽다. |
| | It ~ for … to + 동사원형 (O) | It is easy for him to do the work. (O) 그가 그 일을 하기는 쉽다. |
| | It ~ that (가주어-진주어) (X) | It is hard that he does the work. (X) |

**전략** 의미상 혼동하기 쉬운 형용사/부사가 보이면 밑줄 긋고 해석을 통해 문맥에 맞게 쓰였는지 확인해야 합니다.

## 01 유사 형태 형용사

| | | |
|---|---|---|
| considerable 중요한, 상당한<br>considerate 신중한, 사려 깊은 | literary 문학의<br>literal 글자 그대로의<br>literate 글을 읽고 쓸 줄 아는 | successful 성공적인<br>successive 연속적인<br>succeeding 이어지는 |
| dead 죽은, 침체된<br>deadly 치명적인 | regrettable 유감스러운<br>regretful 후회하는, 참회하는 | sensible 지각 있는, 분별력 있는<br>sensitive 민감한 |
| industrial 산업의<br>industrious 근면한 | respectful 존경심 있는, 공손한<br>respectable 존경할 만한<br>respective 각각의 | sensational 선풍적인<br>sensory 감각의<br>sensual 관능적인 |

- The accident caused <u>considerable</u> damage to the passengers in the bus.
  사고는 버스의 탑승객들에게 상당한 상해를 입혔다.

- She is always <u>considerate</u> of others.  그녀는 항상 다른 사람에게 사려 깊다.

## 02 형용사가 두 가지 형태의 부사를 갖는 경우

| 형용사 | 부사 | 형용사 | 부사 |
|---|---|---|---|
| late 늦은 | late 늦게 | high 높은 | high 높게(높이) |
| | lately 최근에 | | highly 매우(정도) |
| hard 딱딱한,<br>열심히 하는 | hard 열심히 | deep 깊은 | deep 깊게(깊이) |
| | hardly 거의 ~ 않는 | | deeply 매우, 심히(정도) |
| near 가까운 | near 가까이 | close 가까운, 밀접한 | close 가깝게 |
| | nearly 거의 | | closely 밀접하게 |

- The airplane flew <u>high</u>.  그 비행기는 높게 날았다.

- He is <u>highly</u> respected by his students.  그는 자신의 학생들에게 매우 존경받는다.

**전략** 부정부사에 동그라미 후 앞뒤에 다른 부정부사가 보이면 밑줄 후 X표시 합니다.

부정부사는 다른 부정부사와 함께 쓰지 않는 것이 원칙이다.

| 대표적인 부정부사 | hardly, scarcely, rarely, seldom, barely, little  거의 ~하지 않게<br>never  결코 ~하지 않게 |
| --- | --- |

- She had not scarcely arrived when she found he had left. (X)

  ⇨ She had scarcely arrived when she found he had left. (O)

  그녀는 도착하자마자 그가 떠난 것을 알게 되었다.

---

**출제 유형 067** | **원급과 비교급 비교**

**전략** 비교 구문이 있다면 각 비교 구문이 올바른 형태인지 확인해야 합니다.
as가 사용된 경우 앞뒤 as에 동그라미, 형용사/부사의 원급은 밑줄 표시합니다.
형용사/부사의 비교급이 있다면 동그라미하고 뒤의 than에 밑줄 표시합니다.

### 01 원급 비교

(1) 형태와 의미

| 형 태 | 의 미 |
|---|---|
| A + as + 형용사·부사 원급 + as + B | A는 B만큼 ~하다 |
| A + not + so/as + 형용사·부사 원급 + as + B | A는 B만큼 ~하지 않다 |

- The sky is as blue as the ocean (is blue).
  바다가 푸른 것만큼 하늘도 푸르다.

### 02 비교급 비교

(1) 형태와 의미

| 형 태 | 의 미 |
|---|---|
| A + 형용사·부사의 비교급 + than + B | A가 B보다 더 ~하다 |

- Science is more important than music (is important).
  음악(이 중요한 것)보다 과학이 더 중요하다.

(2) 동일 대상의 성질 비교: more A than B

하나의 대상의 성질을 비교하는 경우 1, 2음절의 형용사나 부사도 −er을 쓰지 않고 more를 써야 한다.

- He is more smart than cunning.  그는 교활하기보다는 똑똑하다.

**전략** 형용사/부사의 최상급이 보이면 동그라미 후,
앞에 정관사 the에 밑줄 그어 사용이 올바른지 확인해야 합니다.

## 01 최상급의 형태와 의미

| 형태 | 의미 |
| --- | --- |
| (the)+형용사·부사의 최상급 | 가장 ~한 |

- Helen was the most intelligent girl of all the students.
  Helen은 모든 학생 중에서 가장 똑똑한 소녀였다.

## 02 정관사 the를 쓰지 않는 최상급

| | |
| --- | --- |
| 동일물 비교 | · This lake is <u>deepest</u> at this point. (O)<br>  이 호수는 이 지점에서 가장 깊다.<br>· She is <u>happiest</u> when she plays with her son. (O)<br>  그녀는 아들과 함께 놀 때 가장 행복하다. |
| 대명사의 소유격과 쓰일 때 | · She is my <u>best</u> friend. 그녀는 나의 가장 친한 친구이다. |

**전략** 비교급이나 최상급에 동그라미, 앞이나 바로 뒤의 부사에 밑줄 후 올바른 부사인지 확인해야 합니다.

| 원급 수식 | 매우 | very |
|---|---|---|
| 비교급 수식 | 훨씬 or 약간 | much, far, by far, still, even, a lot, rather, a little |
| 최상급 수식 | 단연코 | much, far, by far |

- The new model of Ford Escort is far more expensive than the old one.
  Ford Escort의 새로운 모델은 구 모델보다 훨씬 더 비싸다.

- He is much the most industrious in his class.
  그는 그의 학급에서 단연코 가장 부지런하다.

# 비교 사용 표현

## 출제 유형 070 | 비교 사용 표현

**전략** 원급이나 비교급을 이용하는 표현들이 있습니다.
그 의미가 생소할 뿐만 아니라 긍정, 부정의 의미를 혼동하기 쉽기 때문에
표현을 암기할 때 부정어의 유무에 주의하고 영어 문장에서 부정의 유무를 꼭 확인해야 합니다.

### 01 원급 비교 사용 주요 표현

| | |
|---|---|
| as ~ as 주어 can<br>= as ~ as possible<br>할 수 있는 만큼 ~한 | You had better answer the letter as soon as you can.<br>너는 네가 할 수 있는 만큼 빨리 편지에 답하는 것이 낫다. |
| not so much A as B<br>A라기보나는 B인 | He is not so much a singer as an actor.<br>그는 가수라기보나는 언기사이나. |

### 02 비교급 주요 표현

| | |
|---|---|
| A is no 비교급 than B<br>B가 ~하지 않듯 A도 ~하지 않다<br>(양자 부정) | · He is no taller than his brother.<br>　그도 형보다 크지 않다. (그도 형만큼 작다.)<br>　= He is as short as his brother.<br>· The skirt is no more expensive than the pants.<br>　그 치마가 바지보다 더 비싼 것도 아니다. (그 치마도 바지만큼 싸다.)<br>　= The skirt is as cheap as the pants. |
| A is no more B than C<br>C가 B가 아니듯 A도 B가 아니다<br>(양자 부정) | A whale is no more a fish than a horse is.<br>말이 물고기가 아니듯 고래도 물고기가 아니다. |
| A is no less B than C<br>A와 C 둘 다 B이다<br>(양자 긍정) | He is no less guilty than you are.<br>당신이 유죄이듯 그도 유죄이다. |
| much more, still more<br>~은 말할 것도 없이<br>(긍정 의미 강화) | He can speak French, still more English.<br>그는 불어를 할 수 있는데 영어는 말할 것도 없이 할 수 있다. |
| much less, still less<br>~은 말할 것도 없이<br>(부정 의미 강화) | He can't speak French, still less English.<br>그는 불어를 못하는데 영어는 말할 것도 없이 못한다. |

**전략**  라틴어에서 유래한 비교 사용 표현(prefer, superior, inferior 등)이 보이면 동그라미 후
비교하는 대상의 앞에 than/to인지 밑줄 그어 확인합니다.

| | | |
|---|---|---|
| junior 더 어린 | senior 더 나이든 | |
| superior 더 우수한 | inferior 더 열등한 | to + 비교 대상 |
| prefer 더 좋아하다 | | |

• This car is superior to that one.  이 차는 저 차보다 더 우수하다.

**CHECK**

**prefer**의 용법
「prefer -ing to -ing」 형태를 쓰거나 「prefer to + 동·원 rather than (to) + 동·원」으로 쓴다.



**전략**  「~ times」의 형태를 가진 배수사가 보이면 동그라미,
뒤에 원급 비교 또는 비교급 비교의 형태와 어순이 올바른지 확인해야 합니다.

| A + | 배수사<br>twice, two times,<br>three times 등 | + | 비교<br>as 형용사·부사 원급 as<br>형용사·부사의 비교급 than | + B | A는 B보다<br>몇 배만큼 ~한 |
|---|---|---|---|---|---|
| | | | 명사(구, 절) | | A는 B의 몇 배인 |

• This house is twice as big as that house.  이 집은 저 집의 두 배만큼 크다.
    배수사 + 원급 비교  ※ twice는 원급 비교만 사용 가능

=This house is two times bigger than that house.
    배수사 + 비교급 비교

• This house is two times the size of that house.
    배수사 + 명사

## 출제 유형 073 | The 비교급, the 비교급

**전략** '~할수록 더 ...하다'라는 의미의 표현은 the 비교급의 뒤에 위치하는 주어와 동사에 밑줄 그어 어순을 확인합니다.
그리고 앞에 위치한 the 비교급에 동그라미, 형용사/부사의 선택이 맞는지, 형태는 올바른지 확인해야 합니다.

| 형태 | The 비교급 S′ + V′, the 비교급 S + V 'S'가 V'하면 할수록, S는 더욱 V하다' |
|---|---|
| 유의할 점 | ① 동사가 be동사인 경우 도치 가능 <br> ② 동사가 be동사인 경우 be동사 생략 가능 |

• 기대가 크면 클수록, 만족은 더 작다.

The bigger the expectation is, the smaller the satisfaction is.

= The bigger is the expectation, the smaller is the satisfaction.

= The bigger the expectation, the smaller the satisfaction.

**CHECK**

비교급으로 사용된 단어가 형용사·부사가 맞는지, 비교급의 형태는 올바른지 확인해야 한다.

- The more a hotel is expensive, the better its service is. (X)
- The more expensiver a hotel is, the better its service is. (X)
- The more expensive a hotel is, the better its service is. (O)

**전략**  원급이나 비교급을 사용하여 최상급의 의미를 전달하는 구문의 경우
주어로 부정어가 사용되었는지, 비교대상으로 「any other+단수명사」인지 확인하는 문제가 출제되고 있습니다.

원급이나 비교급을 사용해서 최상급의 의미를 표현할 수 있다.

부정 주어 + [ 원급 비교(as ~ as) / 비교급 비교(비교급 than) ] + A

A(주어) + 비교급 than + [ any other + 단수명사 / all the other + 복수명사 ]

- 어떤 것도 건강만큼 소중하지 않다.

  Nothing is as precious as health.

  = Nothing is more precious than health.

  = Health is more precious than any other thing.

  = Health is more precious than all the other things.

# 비교 대상의 일치

**출제 유형 075 | 비교대상의 일치**

**전략** 비교 구문이 출제되는 경우 먼저 비교 구문에 동그라미 표시하여 형태(원급 비교/비교급 비교)가 올바른지 확인 후 비교하는 두 대상인 A와 B에 밑줄 그어 형태의 일치를 확인해야 합니다.

| 일치 항목 | A | 비교 구문 | B |
|---|---|---|---|
| ① 명사의 대상 | 명사 | as 원급 as<br>비교급＋than<br>compared to<br>be different from<br>be similar to / be like | that / those<br>one / ones<br>소유대명사 |
| ② 동사의 종류 | be동사 / 조동사 / 일반동사 | | be동사 / 조동사 / do대동사 |
| ③ 형태 | 동명사 / to부정사 | | 동명사 / to부정사 |

## 01 명사의 대상 일치

- The number of boy students is bigger than that of girl students.
  남학생의 수가 여학생의 수보다 더 많다.

- The houses of the rich are generally larger than those of the poor.
  부자들의 집은 가난한 사람들의 집보다 일반적으로 더 크다.

- I think my idea is better than Jack. (X)
  ⇨ I think my idea is better than Jack's. (O)
  내 생각이 Jack의 생각보다 더 좋다고 생각한다.

## 02 동사의 종류 일치

- John made a much greater contribution to my research than Jane was. (X)
  ⇨ John made a much greater contribution to my research than Jane (did). (O)
  John은 Jane이 했던 것보다 내 연구에 훨씬 더 큰 공헌을 했다.

## 03 형태의 일치

- Seeing the traditional market is more fun than going to a club.
  전통 시장을 구경하는 것은 클럽에 가는 것보다 더 재밌다.

- It is better to do well than to say well.  잘 말하는 것보다 잘 행하는 것이 낫다.

# Chapter 06
# 접속사


**POINT 39**　등위접속사의 병렬 구조

**POINT 40**　명사절 접속사의 선택

**POINT 41**　부사절 접속사의 선택

**POINT 42**　주요 양보구문

**POINT 43**　관계대명사의 선택

**POINT 44**　관계부사

**POINT 45**　복합관계사

2026 이동기 영어
핵심문법 50포인트 요약 노트

# 등위접속사의 병렬 구조

## 출제 유형 076 | 등위(상관)접속사의 병렬 구조

**전략** 등위(상관)접속사가 보이면 동그라미하고 앞뒤로 연결된 A, B에 밑줄 후
문법적 성분이나 품사가 같은지 확인해야 합니다.
세 개 이상이 연결된 경우 등위접속사와 콤마도 동그라미하고
앞뒤로 연결된 A, B, C에 모두 밑줄 후 병렬 관계를 확인해야 합니다.

### 01 등위접속사의 주요 용법

| 등위 접속사 | 주요 용법 및 의미 | 예문 |
|---|---|---|
| and | 명령문 + and + S + V + O/C<br>'~해라, 그러면<br>…할 것이다' | Do your best, and you will pass the test.<br>최선을 다해라, 그러면 시험에 합격할 것이다. |
| or | 명령문 + or + S + V + O/C<br>'~해라, 그러지 않으면<br>…할 것이다' | Hurry up, or you will be late.<br>서둘러라, 그러지 않으면 늦을 것이다. |
| nor | 부정문 + nor + V + S<br>= and ~ not, either<br>'주어 또한 ~가 아니다' | He doesn't like movies, nor does his wife.<br>그는 영화를 좋아하지 않고, 그의 아내 또한 마찬가지다. |

### 02 등위접속사의 병렬 구조

등위접속사가 사용된 경우 연결된 두 요소는 반드시 문법적으로 같은 구조여야 한다.

- When free at home, my mother likes to knit, to sew, and to cook.
  (to부정사구 to부정사구 to부정사구)

  엄마는 집에서 한가할 때 뜨개질과 바느질, 그리고 요리하는 것을 좋아하신다.

- Children like singing and dancing.  아이들은 노래 부르고 춤추는 것을 좋아한다.
  (동명사 / 동명사)

- My sister is young, enthusiastic, and talented.
  (형용사 / 형용사 / 형용사)

  내 여동생은 젊고, 열정적이고, 재능이 있다.

**전략** 등위상관접속사를 구성하는 두 요소 중 하나가 보이면 우선 동그라미하고
호응 관계를 이루는 등위접속사를 뒤에서 찾아 밑줄 표시합니다.

## 01 주요 등위상관접속사

| | |
|---|---|
| both A and B  A와 B 둘 다 | either A or B  A 혹은 B |
| neither A nor B  A도 B도 아닌 | not A but B  A가 아니라 B인 |
| not only A but also B  A뿐만 아니라 B도 | B as well as A  A뿐만 아니라 B도 |

- Amy both studies and works.  Amy는 공부와 일 둘 다 한다.
- Success is the result of neither working long hours, nor waiting for good luck.
  성공은 장시간 일을 한 결과도, 행운을 기다린 결과도 아니다.

## 02 등위상관접속사의 병렬 구조

등위상관접속사로 연결된 요소들도 반드시 문법적으로 같은 구조이어야 한다.

- She enjoys neither skiing nor hiking.
  단어(동명사) 단어(동명사)

  그녀는 스키 타는 것도 도보 여행하는 것도 즐기지 않는다.

- You can either work in this group or join a different one.
  구(동사)              구(동사)

  너는 이 그룹에서 일을 하거나 또는 다른 그룹에 참여할 수 있다.

# 명사절 접속사의 선택

## 출제 유형 078 | 명사절 접속사 that vs. what 구분

**전략** 주어/목적어/보어 역할을 하는 명사절을 [ ] 표시 후,
표시된 절이 완전/불완전한지에 따라 접속사 that/what을 구분해야 합니다.

### 01 명사절 종속접속사의 종류

| 접속사 | 절의 구조 |
|---|---|
| that | |
| if / whether | S + V + O/C |
| 의문부사<br>when / where / how / why | (빠진 것 없는 완전한 절의 구조) |
| 의문대명사<br>what / who / which | S + V + O/C 생략 |
| 복합관계대명사<br>whoever / whomever /<br>whichever / whatever | S 생략 + V + O/C<br>(주어 또는 목적어나 보어가 없는 불완전한 절의 구조) |

- I believe [that women like shopping]. 나는 여자들이 쇼핑을 좋아한다고 생각한다.

- There is an argument about [whether early education is desirable].
  조기 교육이 바람직한지 아닌지에 대한 논쟁이 있다.

- He doesn't know [how she feels]. 그는 그녀가 어떤 기분일지 알지 못한다.
  ➡ know의 목적어로 접속사 how가 이끄는 명사절이 왔다. how가 feels의 보어로 쓰였는데, 주어의 상태를 나타내는 주격보어(형용사)를 의문사 how로 쓴 문장이다.

- This is [what I was looking for]. 이것이 내가 찾고 있던 것이다.
  ➡ what절이 보어의 역할을 하며 what은 절 안에서 동사구 look for에 대한 목적어 역할을 하고 있다.

- The committee gave a prize to [whoever entered the contest].
  위원회는 대회에 참가한 사람은 누구에게나 상을 주었다.

| 특징 · 주의할 점 | that | ① 동격의 that: 앞에 있는 명사의 내용을 밝히며 동격절을 만든다.<br>② 명사절 접속사 that: 전치사의 목적어로 사용될 수 없다. |
|---|---|---|
| | if / whether | ① if절은 동사의 목적어로만 쓰이며 주어나 전치사의 목적어로 사용이 불가하다.<br>② if or not의 형태는 사용이 불가하다. |

the fact와 동격

- People know the fact [that the earth is round].  사람들은 지구가 둥글다는 사실을 안다.

- He is aware of [that she will not come back]. (X)

- [If he is smart or pretentious] is debatable. (X)

  ⇨ [Whether he is smart or pretentious] is debatable. (O)
    그가 똑똑한 것인지 잘난 척하는 것인지는 논란의 여지가 있다.

- They have a doubt about [if he was honest]. (X)

- I wonder [if or not he has sent me a message]. (X)

  ⇨ I wonder [whether or not he has sent me a message]. (O)
    나는 그가 나에게 메시지를 보냈는지 아닌지 궁금하다.


## 02 명사절 종속접속사의 선택: that vs. what

명사절 종속접속사를 선택하는 문제 중 가장 많이 출제되는 포인트는 바로 that과 what의 구별이다.

|  완전한 절  |  S나 O/C가 빠진 불완전한 절  |
|---|---|
| that + S + V + (O/C) | what [ + S 생략 + V + (O/C) ]<br>[ + S + V + O/C 생략 ] |

- I can't believe [that he did such a mean thing].
  완전한 절 → what (×) / that (○)

그가 그런 비열한 짓을 했다는 것을 믿을 수 없다.

- I can't believe [what he told me].
  불완전한 절 → what (○) / that (×)

그가 나에게 말했던 것을 믿을 수 없다. (what은 told의 직접목적어임)

**전략** 「A is to B what C is to D」의 구문이 나오면
「be + to」에 동그라미 하고 명사절 접속사인 what에 밑줄 그어
문장의 어순 등이 올바르게 사용되었는지 확인해야 합니다.

## 01 what 사용 주요 표현

| | |
|---|---|
| what + 주어 + be동사 | 인격·지위 |
| what + 주어 + have | 소유물 |
| A is to B what C is to D<br>= A is to B as C is to D<br>= What C is to D, A is to B<br>= As C is to D, (so) A is to B | A가 B에 대한 관계는 C가 D에 대한 관계와 같다 |

- A man's worth lies not in what he has, but in what he is.
  한 사람의 가치는 그 사람이 가진 것이 아니라 그가 어떠한 사람인가에 있다.

- Reading is to the mind what food is to the body. 1991 국가직 9급

  = Reading is to the mind as food is to the body.

  = What food is to the body, reading is to the mind.

  = As food is to the body, (so) reading is to the mind.

  독서와 마음의 관계는 음식과 신체의 관계와 같다.

# 부사절 접속사의 선택

**출제 유형 080** | 목적/결과의 부사절 접속사 that

**전략** so, such 등에 우선 동그라미하고 that을 찾아 밑줄을 긋고
목적 또는 결과의 의미가 문맥에 맞는지 확인합니다.

| | | |
|---|---|---|
| 시간 | while ~하는 동안 | when ~할 때 |
| | before ~ 전에 | after ~ 후에 |
| | until ~할 때까지 | by the time ~할 때까지 |
| | as soon as ~하자마자 | whenever ~할 때마다 |
| 이유 | because ~이기 때문에 | as / since / now that ~이기 때문에 |
| | seeing that ~을 고려하면 | in that ~라는 점에서 |
| 조건 | if 만일 ~한다면 | unless 만일 ~하지 않는다면(= if not) |
| | whether (or not) ~이든 아니든 | as/so long as ~하는 한 |
| | provided that 만일 ~라면(~라고 가정하면) | given that 만일 ~라면(~라고 가정하면) |
| 양보 | even if 비록 ~하더라도 | although / though / even though 비록 ~이지만 |
| | while / whereas ~하는 반면 | |
| 목적 | so that / in order that ~하기 위해서 | |
| | lest … should ~ ~하지 않기 위해서 | |
| 결과 | so + 형용사/부사 + that + S + V 너무 ~해서 …하다 | |
| | such + a/an + 형용사 + 명사 + that + S + V 너무 ~한 ~이어서 …하다 | |
| | so that 그래서, 그 결과 | |
| 비교 | as / like ~처럼 | |

- The novel was so interesting that I read it four times.
  그 소설은 너무 재미있어서 나는 그것을 네 번 읽었다.

> **전략** 접속사 lest, for fear that, nor, unless가 보이면 동그라미하고
> 뒤에 위치한 주어와 동사 중 동사에 줄 그어 부정어의 유무를 확인해야 합니다.

부정(not)의 의미를 내포한 접속사 뒤에 다시 부정어구를 사용하지 않는다.

| | |
|---|---|
| lest ··· should ~<br>for fear that ··· should ~<br>(= so that ··· may not ~)<br>~하지 않기 위해서 | I didn't go out lest I should not waste money. (X)<br>⇨ I didn't go out lest I should waste money. (O)<br>　나는 돈을 낭비하지 않기 위해 밖에 나가지 않았다. |
| unless(= if ··· not)<br>만약 ~하지 않는다면 | Unless you don't go out, we will go out. (X)<br>⇨ Unless you go out, we will go out. (O)<br>　네가 나가지 않으면 우리가 나갈 거야. |
| nor(= and ··· not ··· either)<br>~도 역시 아니다 | He didn't like it, nor didn't his wife. (X)<br>⇨ He didn't like it, nor did his wife. (O)<br>　그는 그것을 싫어했고, 그의 아내도 역시 그것을 싫어했다. |

**전략** despite/although, because of/because, during/while이 보이면 밑줄을 긋고
뒤에 동사가 있는 절의 형태인지, 동사 없이 명사(구)만 있는지 확인해야 합니다.
동사가 보이면 동그라미, 동사가 보이지 않는다면 명사(구)에 동그라미 표시하세요.

부사절 접속사 뒤에 명사(구)가 오거나 전치사 뒤에 「주어 + 동사」가 오면 틀린 문장이다.

| 의미 | 부사절(접속사+S+V+O/C) | 부사구(전치사+명사구) |
|---|---|---|
| 비록 ~이지만 | although+S+V+O/C | [ in spite of / despite ]+명사(구) |
| ~ 때문에 | because+S+V+O/C | [ because of / thanks to<br>owing to / due to ]+명사(구) |
| ~ 동안 | while+S+V+O/C | during+명사(구) |

- Although it wasn't an easy decision, we made it. 그것은 쉬운 결정이 아니었지만 우리는 해냈다.
  Despite it wasn't an easy decision, we made it. (X)
- The team won because of its superior number. 그 팀은 수적 우세 덕분에 이겼다.
  The team won because its superior number. (X)

## 출제 유형 083 | 복합관계사 양보구문

**전략** 복합관계사가 사용된 문장이 보이면 복합관계사에 동그라미,
뒤에 위치한 주어와 동사에 각각 밑줄을 그어 올바른 어순과 형태를 확인합니다.
특히, however가 사용되는 경우 수식하는 형용사나 부사가 함께 있어야 하므로
「however+형용사/부사」를 함께 동그라미 표시합니다.

| 복합관계사(= No matter + 의문사) + S + V | ~하더라도 / 아무리 ~해도 |
| --- | --- |

- 네가 무슨 말을 하더라도, 나는 너를 믿지 않을 것이다.

  Whatever you may say, I will not believe you.

  = No matter what you may say, I will not believe you.

| However(= No matter how) + 형용사/부사 + S + V | 아무리 ~해도 |
| --- | --- |

- 아무리 초라하더라도 집만 한 곳은 없다.

  However humble it may be, there is no place like home.

  = No matter how humble it may be, there is no place like home.

**전략** 문두에 위치한 종속절이 명사(무관사)/형용사/부사로 시작하면 밑줄을 긋고,
바로 뒤에 나온 양보의 접속사 as/though에 동그라미를 그린 다음, 뒤에 위치한 주어와 동사에 각각 밑줄 그으세요.
어순이 올바른지, 앞에 위치한 명사(무관사)/형용사/부사의 품사가 적합한지 확인해야 합니다.

| | |
|---|---|
| (As) + 명사(무관사)/형용사/부사/분사 + [ as / though ] + S + V | 비록 ~이지만 |

- 비록 그는 어린아이지만 매우 용감하다.

  Child as he is, he is very courageous.

# 관계대명사의 선택



**전략** 관계대명사가 보이면 밑줄을 긋고 수식하는 선행사는 동그라미, 관계절은 괄호로 표시한 후,
관계절의 구성을 확인하여 관계사가 옳게 쓰였는지 확인해야 합니다.
명사절이 아닌 형용사절인지, 관계부사가 아닌 관계대명사인지를 주로 비교하세요.

관계대명사는 선행사(사람, 사물 등)와 관계절에서 관계대명사의 역할(주격, 목적격, 소유격)에 따라 결정된다.

| 선행사 | 관계대명사절의 빠진 요소 | 관계대명사 선택 |
|---|---|---|
| 사람 | 주어 | who(주격) |
| | 목적어 | who(m)(목적격) |
| | 빠진 것 없음 | whose(소유격) |
| 사물 | 주어/목적어 | which(주격/목적격) |
| | 빠진 것 없음 | of which / whose(소유격) |
| 구(phrase)나 앞문장 전체 | 주어/목적어 | which |

- The person who planned this trip was Chris.  이 여행을 계획한 사람은 Chris였다.

- He submitted his assignment which he finished last night.
  그는 어젯밤에 끝낸 그의 과제를 제출했다.

- The building whose roof(= the roof of which / of which the roof) is red is the hospital.
  지붕이 빨간 그 건물이 병원이다.

- I said nothing, which made him angry.  나는 아무 말도 안 했고, 그것이 그를 화나게 만들었다.

> **전략** 관계대명사 that에 밑줄을 긋고, 선행사를 찾아 동그라미, 관계절을 괄호로 표시합니다.
> 이후 관계대명사 that 앞에 콤마가 있으면 that에 X합니다.

관계대명사 that은 소유격을 제외한 다른 관계대명사(who, whom, which)를 대신하거나
다음과 같은 특수한 선행사일 때 주로 사용한다.

| 선행사 | 관계대명사절의 빠진 요소 | 관계대명사 선택 |
|---|---|---|
| 사람+사물<br>의문사(who/what)<br>the only/very/same / 최상급/서수/all +명사 | 주어<br>or<br>목적어 | that<br>(주격/<br>목적격) |

- **Who** that has a family to support would waste so much money?
  부양할 가족을 가진 사람으로서 누가 그렇게 많은 돈을 낭비할까?

- **All** that glitters is not gold.  반짝이는 것이 모두 금은 아니다.


**CHECK**

관계대명사 that의 주의할 점

1. 계속적 용법 불가

  I said nothing, that made him angry. (x)  나는 아무 말도 안 했고, 그것이 그를 화나게 만들었다.
  → which

2. 「전치사+that」 불가

  Plants must be fitted for the places in that they live. (x)
  → in which
  식물은 그들이 사는 장소와 잘 맞아야 한다.

**전략** 접속사(which, that, what)에 밑줄을 긋고, 선행사를 찾아 동그라미, 관계절을 괄호로 표시합니다.
반면 선행사가 없다면 명사절이므로 네모 괄호를 표시합니다.

| 선행사 | 접속사 | 관계절의 형태 |
|---|---|---|
| 있음 | 관계대명사<br>that / which / who / whom | $S+V+\emptyset/\cancel{C}$<br>$\cancel{S}+V+O/C$<br>(주어 또는 목적어가 없는 불완전한 절) |
| 없음 | what | |

- She didn't believe [what I said].  그녀는 내가 말한 것을 믿지 않았다.
  선행사 없음

- She didn't believe the truth (that I told).  그녀는 내가 말한 진실을 믿지 않았다.
  선행사 있음

**전략** 「전치사 + 관계대명사」가 보이면 밑줄을 긋고, 선행사를 찾아 동그라미, 관계절을 괄호로 표시합니다.
이후 ① 괄호 안이 완전한 절인지, ② 전치사는 올바른지 확인해야 합니다.

**01** 「전치사 + 관계대명사」 뒤의 절의 형태 확인하기

- She is the person whom I can depend on.  그녀는 내가 의지할 수 있는 사람이다.

  = She is the person (on whom I can depend).

  완전한 절(○)

- This is the house (in which the teacher lives).  이곳은 그 선생님이 살고 계신 집이다.

  완전한 절(○)

**02** 「전치사 + 관계대명사」의 구조에서 올바른 전치사 찾기

- The information (to which we can rely) is severely limited. (X)

  전치사 확인(×)    완전한 절(○)

➡ 관계대명사절의 끝인 rely의 뒤에 '~에 의존하다'를 의미하는 동사구인 rely on을 구성하려면 전치사 to를
on으로 바꿔야 한다.

- The information (on which we can rely) is severely limited.

  전치사 확인(○)    완전한 절(○)

우리가 의존할 수 있는 정보는 아주 제한적이다.

# 관계부사



**전략** 관계부사가 보이면 밑줄을 긋고, 수식하는 선행사는 동그라미, 관계절은 괄호로 표시한 후,
관계절의 구성을 확인하여 완전한 절을 갖춘 관계부사가 맞는지,
불완전한 절의 앞에서 주어/목적어 역할을 하는 관계대명사인지 구분해야 합니다.

## 01 관계부사의 종류

| 선행사 | 관계부사 | 선행사 | 관계부사 |
| --- | --- | --- | --- |
| 시간 | when | 장소 | where |
| 이유 | why | 방법 | how |

## 02 관계대명사 vs. 관계부사

| 선행사 | 관계사 | 관계절의 형태 |
| --- | --- | --- |
| 있음 | 관계대명사<br>that / which / who / whom | $S$ +V+ $\emptyset$ / $C$<br>주어 또는 목적어/보어가 없는 불완전한 절 |
| | 관계부사<br>when / where / why / how | S +V+O/C<br>주어, 목적어/보어가 있는 완전한 절 |

- He wants to buy the house (which he saw last month).
  그는 지난달에 봤던 그 집을 구입하고 싶어 한다.
- He wants to buy the house (where his family will live).
  그는 그의 가족이 살 집을 구입하고 싶어 한다.

# 복합관계사

### 출제 유형 090 | whoever vs. whomever

**전략** 복합관계대명사인 whoever/whomever가 보이면 밑줄을 긋고 이 명사절에 네모 괄호를 표시한 후, 이 명사절 안에서 주어/목적어 중 빠진 성분에 따라 「주격 whoever/목적격 whomever」를 구분해야 합니다.

## 01 복합관계대명사

명사절과 양보의 부사절 역할을 한다.

| 형태 | 역할 | 의미 | 예문 |
|---|---|---|---|
| whoever<br>whomever<br>whatever<br>whichever | 명사절 | 모든 ~ | · [Whomever they send] will be welcomed.<br>  그들이 누구를 보내든지 환영받을 것이다.<br>· [Whoever borrows the money] should return in thirty days<br>  돈을 빌리는 어떤 사람이든 30일 내로 갚아야 한다. |
| | 부사절 | ~하더라도 | · Whoever may say so, I can't believe it.<br>  누가 그렇게 말하더라도 나는 그것을 믿을 수 없다.<br>· Whatever you may say, I shall do it.<br>  당신이 무슨 말을 하더라도 나는 그것을 해야 한다. |

### CHECK

**whoever vs. whomever**

주격(whoever)과 목적격(whomever)의 선택 문제가 자주 출제된다. 관계대명사의 선택 문제와 마찬가지로 관계사절 내에서 빠진 요소에 맞는 격으로 선택하면 된다.

· I'll give this ticket to [whoever wants it].
  나는 이 표를 원하는 누구에게나 줄 것이다. (주어 빠짐 → 주격)

· I'll give this ticket to [whomever you like].
  나는 이 표를 네가 좋아하는 사람이면 누구에게나 줄 것이다. (목적어 빠짐 → 목적격)

# Chapter 07
# 특수구문


**POINT 46**   기본 가정법

**POINT 47**   기타 가정법

**POINT 48**   전치사의 목적어

**POINT 49**   강조

**POINT 50**   도치

2026 이동기 영어
핵심문법 50포인트 요약 노트

## 출제 유형 091 | 가정법 동사 시제 주의

**전략** 접속사 if로 시작하는 부사절, 그리고 조동사의 과거형이 있는 주절이 보이면
if와 조동사의 과거형에 동그라미, if 부사절과 주절의 동사에 각각 밑줄을 그어
동사의 시제가 정확한지 확인해야 합니다.
if가 생략된 가정법을 해결하기 위해서는 if가 생략된 조건절의 형태를 암기해야 합니다.

### 01 기본 가정법

※ 조동사(과거형) - would, should, could, might

| 가정법 | If + 주어 + 동사 ~ , (시제) | 주어 + 조동사(과거형) + 동사(시제) |
|---|---|---|
| 과거 | 과거 | 동사원형 |
| 과거완료 | had p.p. | have p.p. |
| 혼합시제 | had p.p. | 동사원형 + 시간 부사(now/today) |
| 미래 | should 동사원형<br>were to 동사원형 | 동사원형 / 직설법 / 명령법 |

- If I had wings, I could fly. 날개가 있다면 나는 날 수 있을 텐데.

- If weather had been nice, you could have seen the building.
  날씨가 좋았었다면, 너는 그 건물을 볼 수 있었을 텐데.

- If he had gone to war, he might not be alive now.
  그가 전쟁에 갔다면, 그는 지금 살아 있지 않을 텐데.

## ★ 02 if 생략 가정법

| 가정법 | If 생략된 형태 | 주어 + 조동사 + 동사<br>(과거형) (시제) |
|---|---|---|
| 과거 | Were + 주어 ~ , | 동사원형 |
| 과거완료 | Had + 주어 + p.p. ~ , | have p.p. |
| 미래 | Should + 주어 + 동사원형<br>Were + 주어 + to 동사원형 | 동사원형 / 직설법 / 명령법 |

- Were she a boy, she wouldn't be discriminated.
  만일 그녀가 소년이라면, 차별받지 않을 텐데.

- Had your mother come here, she would have stayed with you.
  만일 너의 엄마가 여기 오셨다면, 너와 함께 머무르셨을 텐데.

- Should the rumor prove true, I would be glad.
  그 소문이 사실로 판명된다면, 기쁠텐데.

# 기타 가정법

## 출제 유형 092  |  I wish 가정법

> **전략** I wish는 가정법 표현이므로 이어지는 절의 동사가
> 가정법 과거 또는 가정법 과거완료의 주절의 동사 형식을 가져야 합니다.
> I wish가 보이면 동그라미하고 동사에 밑줄을 긋고 시제를 나타내는 부사(구, 절)에 동그라미를 친 뒤에
> 동사의 시제를 확인해야 합니다.

현재 이루지 못하고 있거나 과거에 이루지 못했던 것에 대한 아쉬움을 표현

| 가정법 | 의미 | 예문 |
| --- | --- | --- |
| I wish + 가정법 과거<br>(S + 과거 동사) | 현재 사실에 대한 아쉬움<br>'~하면 좋을 텐데'<br>'~하면 얼마나 좋을까?' | I wish I had a true friend.<br>진정한 친구가 있다면 좋을 텐데. |
| I wish + 가정법 과거완료<br>(S + had p.p.) | 과거 사실에 대한 아쉬움<br>'~했다면 좋을 텐데'<br>'~했다면 얼마나 좋을까?' | I wish she had passed the test.<br>그녀가 시험에 통과했었다면 좋을 텐데. |

**전략** Were it not for/Had it not been for가 나오면 without 가정법이므로, 동그라미 후
주절의 동사에 밑줄을 긋고 Were it not for는 가정법 과거 시제가,
Had it not been for는 가정법 과거완료 시제가 바르게 쓰였는지 확인해야 합니다.

| ~이 없다면(가정법 과거) | ~이 없었다면(가정법 과거완료) |
| --- | --- |
| If it were not for ~<br>= Were it not for ~<br>= But for ~<br>= Without ~ | If it had not been for ~<br>= Had it not been for ~<br>= But for ~<br>= Without ~ |

- 물이 없다면, 어떤 생명체도 살 수 없을 텐데.

  If it were not for water, no living things could live.

  = Were it not for water

  = But for water

  = Without water

- 나의 가난이 없었다면(내가 가난하지 않았다면), 나는 그 집을 살 수 있었을 텐데.

  If it had not been for my poverty, I could have bought the house.

  = Had it not been for my poverty

  = But for my poverty

  = Without my poverty

# 전치사의 목적어

## 출제 유형 094 | 전치사 to + 동명사

**전략** 전치사의 뒤에 밑줄이 그어진 문제가 나오면 전치사에 동그라미한 뒤 이어지는 목적어에 밑줄을 긋고
그 목적어의 형태(동명사/대명사의 목적격)가 올바른지 확인해야 합니다.
특히, to의 경우 전치사 to인지 to부정사인지 구분하고
이에 따라 뒤따르는 형태가 동명사인지 동사원형인지 확인해야 합니다.

## 01 전치사의 목적어

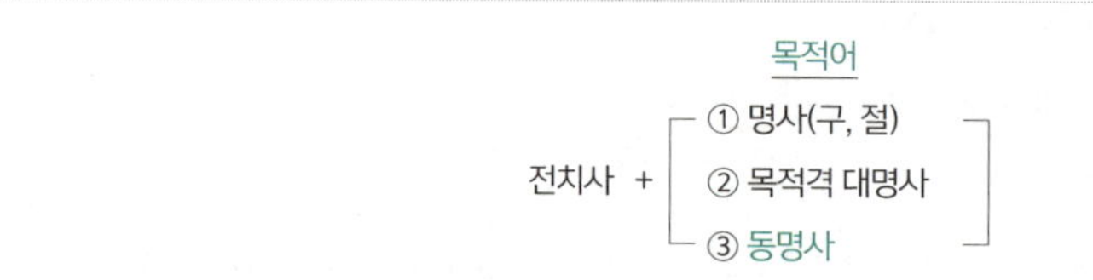


- Everyone attended the meeting but the managers and me.
  명사구     목적격 대명사

  매니저들과 나를 제외한 모든 사람들이 회의에 참석했다.

- I'm tired of waiting for her.
  동명사

  나는 그녀를 기다리는 게 지겹다.

## ⭐ 02 to + 동사원형 vs. to -ing

| | |
|---|---|
| look forward to -ing | ~을 학수고대하다 |
| object to -ing | ~에 반대하다 |
| be(get) used to -ing<br>be(get) accustomed to -ing | ~에 익숙하다(해지다) |
| devote oneself to -ing | ~에 헌신하다 |
| contribute to -ing | ~에 기여하다 |
| be addicted to -ing | ~에 중독되다 |
| be exposed to -ing | ~에 노출되다 |

- I look forward to see you soon. (X)

  ⇨ I look forward to seeing you soon. (O) 나는 당신을 곧 만나기를 학수고대한다.
  동명사

**전략** until/by, for/during이 나오면 밑줄 긋고
동사의 의미[문맥]와 전치사의 목적어를 통해 둘 중 올바른 전치사가 어느 것인지 확인해야 합니다.

시험 빈출 전치사

| | | |
|---|---|---|
| **in** | 방법(~로, ~으로) | in the same **way**  똑같은 방법으로 |
| | 성질(~의) | the **change** in the situation  상황의 변화 |
| | 상태(~한, ~된) | People were in **despair**.<br>그 도시의 사람들은 절망 속에 있었다. |
| **to** | 도달점(~까지) | The ears of a fox can grow to about **20 cm**.<br>여우의 귀는 약 20센티미터까지 자랄 수 있다. |
| | 정도·범위(~까지) | to the **extent** that we are concerned about his health<br>우리가 그의 건강을 걱정할 정도로 |
| | 정도(~하게도) | To **my surprise**  놀랍게도 |
| **at** | 가격·속도·수준(~에) | He drove at **100 km/h**.<br>그는 시속 100km로 차를 몰았다. |
| | 원인(~에) | We were **surprised** at the news.<br>우리는 그 소식에 놀랐다. |
| **of** | 주체, 행위자(~의, ~이/가) | It was **cruel** of you to say so.<br>당신이 그렇게 말한 것은 잔인했다. |
| | 제거(~을) | He promised to **get rid** of his bad habits.<br>그는 그의 나쁜 버릇을 없애겠다고 약속했다. |
| **for** | 원인(~ 때문에) | for several **reasons**  몇 가지 이유 때문에 |
| | 기간+숫자(~ 동안) | for **three days**  삼일 동안 |
| **during** | 기간+명사 (사건)<br>(~ 동안) | during **the vacation**  방학 동안 |
| **on** | 상태(~ 중인, ~ 상태인) | I was on **my way** home.<br>나는 집으로 가는 중이었다. |
| **from** | 원인(~ 때문에, ~로) | He has **suffered** from a cold.<br>그는 감기로 고통받았다. |
| **into** | 변화(~으로) | He wanted to **change** bills into coins.<br>그는 지폐를 동전으로 바꾸고 싶어 했다. |
| **until** | 지속(~까지) | Wait until **tomorrow**.  내일까지 기다려. |
| **by** | 완료(~까지) | You have to submit the assignment by **tomorrow**.<br>넌 그 과제를 내일까지 제출해야 한다. |
| | 차이(~만큼) | The price of the car went up by **10 percent**.<br>그 차의 가격이 10% 인상되었다. |

# 강조



**전략** it과 that에 세모를 표시한 후, it ~ that 사이에 명사(구)나 부사(구, 절)이 있으면 강조용법이므로
강조 부분에 밑줄을 긋고 그 형태가 올바른지 확인해야 합니다.

---

It + 강조 대상 + that + 나머지

---

- It is you that I love.
  내가 사랑하는 사람은 바로 당신입니다.

- It was yesterday that I told you to do it.
  내가 너에게 그것을 하라고 말한 것은 바로 어제였다.

- It was he that gave me the book.
  나에게 그 책을 줬던 분은 바로 그 사람이었다.
  It was him that gave me the book. (×)

**전략** by no means가 보이면 밑줄을 긋고, '결코 ~가 아닌'이라는 의미를 가진 부정의 강조 표현이므로 문맥이 적합한지 확인하면 됩니다.

**01 부정어의 뒤에 특정한 표현들을 추가하여 부정어를 강조할 수 있다.**

> 부정어 + a bit / at all / in the least / in the slightest

- It wasn't funny at all.
  그것은 결코 재미있지 않았다.

- I don't understand in the least what you mean.
  나는 네가 무엇을 의미하는지 전혀 이해가 안 된다.

**02 by no means는 '결코 ~가 아니다'라는 의미의 부정 강조 표현이다.**

- It is by no means easy to satisfy everyone.
  모든 사람을 만족시키기는 결코 쉽지 않다.

# 도치



**전략** 1형식의 도치와 2형식의 도치인 경우 도치뿐만 아니라 수 일치가 자주 출제됩니다.
문장의 앞에 위치한 There/위치부사구/보어에 괄호 표시 후,
동사에 밑줄을 긋고 주어에 동그라미를 표시하여 어순과 주어-동사의 수 일치를 확인하세요.

## 01 1형식 문장의 도치

(1) There/Here + 동사 + 주어

- (There) is a big tree on the hill.
  언덕 위에는 큰 나무가 하나 있다.

(2) 장소/방향/위치 부사(구) + 동사 + 주어

- (On the hill) stood a tall boy.
  언덕 위에 키가 큰 한 소년이 서 있었다.

- (Among the first animals to land on our planet) were the insects.
  곤충은 우리 행성에 상륙한 첫 동물 중 하나였다

## 02 2형식 문장의 도치(보어 강조에 의한 도치)

| 보어 |
| --- |
| [ 형용사 / 분사 ] + 동사 + 주어 |

- (Really nice) was our meeting.
  우리의 회의는 정말 훌륭했다.

- (Pleased with the result) were the participants.
  그 참가자들은 그 결과에 대해 기뻐했다.

**전략** 부정부사나 Such/So+형용사/부사를 강조하는 도치의 경우 동사를 둘로 쪼개어 도치하는 형태에 주의해야 합니다.
문장의 앞에 위치한 부정부사/Such/So+형/부에 괄호 표시 후,
동사 1에 밑줄, 주어에 동그라미, 동사 2에 밑줄 표시하여 어순을 확인 후
주어–동사의 수 일치도 확인하는 것이 좋습니다.

## 01 부정부사+동사+주어

**부정부사**

never, little, hardly, seldom,
scarcely, rarely, nowhere,
not only, not until,
no sooner, only+부사,
on no account,
under no circumstances,
in no way

+

be동사 + 주어
조동사 + 주어 + 동사원형
have/has/had + 주어 + p.p.
do/does/did + 주어 + 동사원형

- (Never) did I meet him again.
  나는 그를 결코 다시 만나지 않았다.

  = I never met him again.

- (Little) did I dream that he was a professor.
  그가 교수라고는 거의 꿈도 꾸지 못했다.

  Little dreamed I that he was a professor. (×)

- (Only once) was he late for the class.
  단지 한 번 그는 수업에 늦었다.

## 02 So, Such 강조

| So+형용사/부사 | + 동사 + 주어 + that + 주어' + 동사' '너무 ~해서 …하다' |
|---|---|
| Such | |

- (So good) did the cake look that he ordered one piece of it.
  그 케이크가 매우 맛있어 보여서 그는 한 조각을 주문했다.

- (Such) is the influence of online media that it can make a person famous overnight.
  온라인 매체의 영향력이 너무 강해서 그것은 하룻밤 사이 한 사람을 유명하게 만들 수 있다.

**전략** "또한 그러하다/그러하지 않다"를 의미하는 so/neither가 보이면 괄호 표시 후,
동사에 밑줄, 주어에 동그라미 표시하며 도치의 어순과 주어–동사의 수 일치가 맞는지 확인합니다.
이어 앞에 위치한 주절에 사용된 동사에 동그라미 표시하여
같은 종류의 동사가 사용되었는지 확인해야 합니다.

## 01 또한 그렇다/그렇지 않다

| 긍정문 | So + 동사 + 주어 | '주어 또한 ~하다' |
|---|---|---|
| 부정문 | Neither + 동사 + 주어 | '주어 또한 ~하지 않다' |

- He works very hard. (So) does his brother.
  그는 매우 열심히 일한다. 그의 형도 또한 열심히 일한다.

- He can't speak Korean. (Neither) can his brother.
  그는 한국말을 못한다. 그의 형도 또한 못한다.

## 02 as/than + 동사 + 주어

as와 than은 선택적 도치가 가능한 접속사로 의미의 강조를 원하면 도치구문으로 사용해도 되고 도치하지 않은 어순으로 써도 된다.

| as + 동사 + 주어 | '주어가 ~한 것처럼' |
|---|---|
| than + 동사 + 주어 | '주어가 ~한 것보다' |

- Kevin was a Christian, (as) were most of his friends.
  Kevin은 그의 대부분의 친구들처럼 기독교 신자였다.

- He completed the work earlier (than) did his colleagues.
  그는 그의 동료들보다 그 일을 더 빨리 완료했다.

### CHECK

동사의 종류 일치

「so + 동사 + 주어」, 「neither + 동사 + 주어」, 「as + 동사 + 주어」, 「than + 동사 + 주어」 도치의 경우 앞선
동사와의 동사의 종류 일치에 주의해야 한다.

· He works hard, and so is his brother. (×)
　　　　　　　　　　　→ does

· He completed the work earlier than were his colleagues. (×)
　　　　　　　　　　　　　　　　　→ did